고양이 그림일기

이른 봄에 일찍 자라는 식물은 아직 남은 꽃샘추위가 오면,
그 며칠 안 되는 밤에 얼어죽을수 있습니다.
오른쪽 그림의 장군이와 흰둥이가 하는 것처럼,
화분이나 낙엽같은 것을 하룻밤 덮어놓고 재우면,
꽃샘추위를 무사히 넘길 수 있습니다.

고양이 그림일기

2월 29일

눈이 많이 왔다.

3월 11일

요즘 계속 나타나 흰둥이와 싸우는 아이가 있다. 정수리, 등, 꼬리에
옅은 노랑 무늬가 있고, 눈은 아주 크고 황금색이다. 싸움을 말리는
나를 보고도 잠시 눈만 동그랗게 뜰 뿐, 그러거나 말거나 곧 하던 싸
움을 계속한다. 용감한 건지, 눈치가 빠른 건지, 뭘 모르는 건지….
아직 모르겠다.

3월 14일

흰둥이가 또 곰팡이 감염 피부병인 링웜에 걸린 것 같다. 배에 500원짜리 동전만한 '땜빵'이 생겼는데 흰둥이는 그런 배를 하고선 예뻐해 달라고 드러눕는다.

만지면 안 돼서 그냥 일어나면 머쓱해한다. 흰둥이는 그 순간에는 티를 내지 않아도 서운했던 일을 마음속에 적립해 두는 타입이어서 웬만하면 원하는 대로 해 주고 싶지만 작년, 링웜 바이러스에 걸린 흰둥이를 만졌다가 하필 이마와 머리가 나는 경계에 옮아서 몇 달 동안이나 고생했다.

나는 그렇게 오래 고생을 했는데 흰둥이는 약 한 번 발라 주는 간단한 처치로 일주일 만에 완치되었다. 흰둥이의 생명력이 나의 것보다 월등하기 때문이겠지.

3월 15일

노랑이가 끈질기다.

인간이 자꾸 싸움을 방해하기 때문에, 서열이 정해지지 않아서일까?

3월 16일

팔이 엄청 저리지만 이 순간 장군이의 얼굴이 너무 귀여워,
움직일 수 없는 것이다.

3월 18일

저도 이젠 배고픔으로 끼니 때우는 그런 고양이가 아니에요라는 듯 흰둥이가 사료만 주면 꼭 남긴다. 건사료만 주는 날이면 아예 내려와 보지도 않는다. 건사료라고는 해도, 생각해서 일등급으로 사왔는데…. 흰둥이가 안 먹겠다면 억지로 먹일 생각은 없다. 하지만 지속적으로 남아 있는 음식이 있으면, 다른 영역의 고양이들이 몰려와, 싸움이 심해질 수 있다. 인간이 무슨 힘이 있나. 캔 줘야지.

3월 19일

흰둥이는 마당에서 지내기 때문에 겨울 몇 달 동안은 목욕을 시킬 수 없다. 날이 풀려서 올 봄 첫 목욕을 시켰다. 오랜만이었는데도 흰둥이는 비장한 얼굴을 하고서는 아무렇지도 않게 물살 속에 서 있다. 움직이지 않도록 몸을 잡고 있을 필요도 없다.

죽도록 싫지만 으레 있는 일이며, 이 또한 지나갈 것임을 아는 자의 모습.

3월 20일

흰둥이가 그렇게 의연한 태도로 목욕을 마치고 나서는 엿 먹으라는 듯
모래에서 뒹군다.
아마도 몸에서 나는 비누냄새가 마음에 들지 않는 모양이다.
몸에 모래를 잔뜩 묻힌 흰둥이가 에어컨 실외기 위에 올라가 햇볕을 쬐
자 털에 묻은 모래가 화장한 여성의 아이섀도처럼 멋지게 반짝거렸다.

3월 25일

겨우내 멈췄던 장군이의 아침 마당 산책이 재개되었다. 장군이는 내가 일어나자마자, 나가자고 조르지만 인간은 세수도 하고, 옷도 갈아입고, 우리가 내려가면 달려나오는 흰둥이 줄 밥도 만들어야 한다. 이부자리 정리하고 꾸물대는 동안 장군이는 앞발로 열심히 문을 긁으며 인간을 재촉한다.

4월 6일

따뜻한 봄, 여러해살이풀이 올라오는 속도는 무척 빨라 아침에 나가면서
봤던 키와 들어오면서 보는 키가 다르다. 그중 둥굴레가 유독 빠르다.
흰둥이는 그것을 앞발로 톡톡 쳐 본다. 며칠 전까지만 해도 아무것 없던 자
기 영역의 땅에 갑자기 솟아난 무언가가 신기한가 보다.

4월 10일

은방울꽃은 키가 작아, 걸핏하면 옆 식물의 잎에 가려 꽃을 보기가 어렵다. 그래서 작년, 꽃을 보려고 몇 뿌리를 작은 화분에 옮겨 심어 놓았다.

정원에 있던 그것을, 집 안에 두고 이른 꽃을 보기 위해, 가지고 올라왔다. 장군이가 궁금해하길래, 건드리지 말라고 단단히 말해 두자 눈이 쌜쭉해지더니 곧 말을 들었다.

낮에 햇볕을 받으라고 창문턱에 둔 것을 깜빡하고 그대로 두고 잠이 들었더니, 장군이는 인간이 조용해지자마자 창틀로 달려갔다. 고양이 앞발로 화분을 툭툭 치는 소리에, 침대에서 벌떡 일어났더니 저 모양이었다.

장군이는 유난히 식물을 좋아한다. 아주 어릴 때부터 내가 마당에서 화분을 돌보는 것을 보고 자랐고, 어깨너머로 배운 게 있어서, 자기가 먹을 수 있는 식물, 먹을 수 없는 식물을 어느 정도 가린다. 그래도 은방울꽃처럼 맹독성 식물이 가까이에 있으면, 마음을 놓을 수가 없다. 그래서 일어나자마자 장군이가 닿을 수 없는 높은 곳으로 화분을 옮겨 놓았다.

4월 15일

흰둥이는, 싸울 때 앞뒤 가리지 않고 온몸을 던져 싸워서,
영역싸움이 심해지는 봄에는 정원에 있는 작은 화분을 모조리 쓰러트려 놓는다.

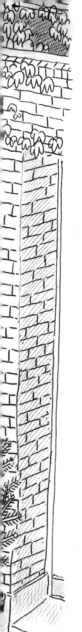

4월 27일

흰둥이가 끈질기게 대문 앞에 나가 있는 것이 명당에서 햇볕을 쬐려는 것으로만 알았는데, 계속 지켜보니, 그보다는 지나가는 사람들에게 관심을 받는 게 즐거운 모양이다. 마당에 있으면 "귀여워!" 같은 탄성이 들리고, 흰둥이가 보란 듯이 뒹굴거리는 모습이 나무 대문 밑으로 보인다.

그 애교에 사람들이 몸을 굽혀 흰둥이를 만지려고 하면, 대문 안으로 휙 뛰어 들어와서 나는 매번 흰둥이를 찾아 대문 안으로 살짝 한 발 내딛은 사람들과 어색하게 마주치게 된다.
소란이 가시면, 흰둥이는 또 대문 밖으로 나가 뒹굴거리고, 또 얼마 지나지 않아 누군가의 "아! 귀여워." 소리가 들린다.
흰둥아, 모르는 사람이랑 마주치는 거 어색하니까 그만둬 주지 않을래.

5월 19일

5월 중순, 흰둥이가 더위에 식욕을 잃었다. 흰둥이는 고양이치고도 털이 덥수룩하고 빽빽하게 나서, 날이 따뜻해지면 금세 식욕을 잃는다. 인간에게는 언제나 상냥한 흰둥이인데 더울 때 귀찮게 하면, 참지 못하고 하악질(고양이가 이를 드러낸 채 경고의 소리를 내는 것)을 한다.

장군이는 숨 쉬듯이 하는 짓이지만, 흰둥이는 싸움꾼이라 평소에 하악질 같은 건 하지 않는다. 그런 경고는 하지도 않고, 바로 달려든다. 사나운 개는 짖지 않고 문다는 말처럼.

하지만 더위에 지쳐 있을 때만은, 달궈진 냄비뚜껑 사이로 뜨거운 김이 새어 나오듯 힘없는 하악질을 한다.

5월 20일

허공에 애벌레가 떠 있는 시기다. 알에서 깨어난 애벌레들이 왕성하게 먹이 활동을 하다가 바람 때문인지, 헛발질 때문인지 나뭇잎에서 떨어지는 것이다. 그런 사고가 너무 많아서 애벌레들은 거미줄처럼 얇고 투명한 실을 만들어, 암벽 등반하는 사람들의 로프처럼 이용해, 나무에 대롱대롱 매달리는데, 실이 보이지 않아, 언뜻 보면 애벌레들이 허공에 떠 있는 것처럼 보인다. 이 시기에는 새들도 번식을 할 때라 신경이 매우 날카롭다.

날이 더워서 흰둥이가 마당에 늘어져 있으면, 그곳을 지나던 직박구리가 잔뜩 화가 나서 한참을 소리 지르다 간다. 정작 흰둥이는 더워서 신경도 쓰지 않고 짜증스러운 얼굴로 흘깃 올려다볼 뿐.

반면 장군이는 흰둥이에 비해 털도 적고, 체온도 낮아서 쾌적하게 지낸다. 같은 고양이인데 체질이 이렇게 다르다니…. 체온이 달라서인지 털갈이 시기도 다르다. 흰둥이는 봄이 올려나 말려나 하는 시기부터 털을 뿜어대고, 장군이는 초여름에 털갈이를 시작한다. 심지어 장군이는 털갈이 시즌에도 털이 그다지 빠지지 않는다. 흰둥이가 활엽수라면 장군이는 침엽수다.

5월 24일

싸움을 당장 멈추지 않는다면, 나는 뜨겁지도 차갑지도 않은 상온의 물을, 네 몸뚱아리에 한 방울도 튀기지 않을 각도로 땅바닥에 뿌려, 공포스러운 소리를 내겠다.

5월 25일

장군이는 집고양이로 나와 오랫동안 함께 살았고, 흰둥이는 우리 집을 영역 중 하나로 둔 길고양이였다가 유야무야 우리 집 마당에 정착했다. 그게 벌써 몇 년이나 되었는데, 장군이는 흰둥이를 조금도 받아줄 생각이 없다.
만날 수 없는 평행선 같은 관계인데, 올해 들어 몇 번 같이 밤 외출을 했다. 오늘은 둘이 똑같이 오른쪽 귀가 까매져서 돌아왔다. 외출해서 무슨 일이 있었던 거지?

5월 31일

오늘 아침도 새소리로 시끄럽다. 그중 까치가 제일 목소리도
크고 성격도 더럽다. 비등하게 성격 더러운 직박구리와 함께,
역시 성격 더러운 장군이에게 소리를 지르고 있다.

6월 4일

버리려고 내놓은 바구니를 흰둥이가 맘에 들어한다.
바구니를 못 버리게 됐다.

6월 7일

화실에 고양이를 무서워하는 아이가 한 명 있어서, 수업 시간에는 장군이를 위층에 둔다. 그런데 이 자식이 무슨 변덕인지 그때마다 기를 쓰고 화실로 돌아오려고 한다.

6월 8일

오늘밤에도 고양이 두 마리가 마당에서 만나 얼굴을 맞대고 있다.

사이도 안 좋은 녀석들이 무슨 대화를 하는 거야?
대화할 거리가 있긴 한 거야?

6월 9일

멍 때리는 시간에 고양이를 쓰다듬고 있으면, 가끔 눈물이
나려고 해서 참기도 하고 그냥 울기도 한다.

6월 11일

고양이 밥이 배달 온 날, 캔을 줄 맞춰 정리하는 작은 기쁨.

칫솔 사는 걸 깜빡했네.

6월 12일

기상청이 장마철이라고 발표는 했으나 비는 오지 않고 있다. 가뭄이 몇 년째 이어지고 있기 때문에 올해는 정말 충분한 비가 필요하다. 땅이 말라서 도로 옆의 조경수도 마르고 뿌리가 얕은 풀들은 온몸이 버석거린다. 산 속의 나무까지 말라 가고 있다. 모두가 괴롭지만 흰둥이만은 이 '습도 없음'에 만족하고 있다.

6월 13일

장군이가 책상 위에서 엄청난 꿈을 꾸고 있다.

쭙쭙쭙

쭙쭙이(어린 고양이가 인간의 손가락을 공갈젖꼭지처럼 빠는 행동. 어미 고양이와 빨리 떨어지거나 사람 손에 큰 고양이, 응석부리는 성격의 고양이가 자주하는 행동이다)를 하는 걸 보니 역경을 넘어 우리가 드디어 꿈에서 만났나 보군.

6월 14일

식물을 그릴 때마다 장군이가 어디선가 나타나서 방해한다.

장군이가 물고 간 식물은 북아메리카가 고향인 바람꽃이다. 꽃이 필 때쯤 꽃봉오리를 동그랗게 올리는데, 애벌레는 다른 부분은 건드리지 않고, 영양이 가득한 꽃봉오리 속으로 들어가 수술과 암술만 갉아먹는다. 태어난 지 얼마 되지 않은 생명체들이 어떻게 다들, 영양분이 가장 많은 곳을 아는 걸까?

6월 15일

기상청은 19일부터 장마가 시작된다고 했다. 오늘 내린 예고편에 흰둥이가 마당을 돌아다니며 비가 온다고 소리를 질렀다. 흰둥이는 날씨가 급변하면, 우렁차게 울기 시작한다. 비가 와도, 눈이 와도, 돌풍이 불어도 운다. 길고양이로서의 걱정과 염려가 섞인 울음이다.

빗줄기가 세지자 뚱한 표정이 돼서는 작년 가을에 마당에 놓아 준 작은 고무 개집에 들어간다. 개집 입구가 뻥 뚫려 있어서, 바람이 들까 봐 단열재로 벽을 두르고, 담요를 깔고, 널빤지로 앞을 가렸다. 다행히 겨우내 잘 써 주었다.

6월 16일

어제 새벽 장군이가 나가 놀겠다며 깨워서, 힘없는 인간인 나는 침대에서 일어나 문을 열어 줬다. 그런데 고양이님이 귀가하기를 기다리다 잠이 들어 버려, 장군이가 산책을 마친 후 집 안으로 들어오려 했을 땐 문이 닫혀 있었다.

문이 닫혀 있으면 장군이는 하염없이 쳐다만 보며, 그것이 기적적으로 열리길 기다린다. 그러다가 한번씩, 애교를 부릴 때 그러는 것처럼, 조그만 자기 몸을 문에 비벼본다. 그래봤자 나는 소리라고는, 바람에 문이 작게 덜컹거리는 정도의 소음뿐. 정말 아무도 못 들을 작은 소리를 만든다.

장군이가 계속 그런 미적지근한 대처만 하는 이유는, 신기하게도 내가 그걸 들을 수 있기 때문이다. 심지어 잠을 자다가도 듣는다. 어제는 안타깝게 그렇지 못했지만….

나는 장군이와 아주 신기하게 이어져 있다고 느낀다. 이를테면, 언제 녀석이 목이 마를지 안다. 그래서 그릇에 물을 따라주다 보면, '어쩐지 비린내가 날 것 같은데' 그런 기분이 들기도 한다. 그럼 장군이는 그릇에 코를 대고 킁킁대다, 물 마시길 거절한다. 새 그릇에 물을 따라주면, 그제야 마신다.

지금 어떤 풀이 먹고 싶다거나, 이 밥은 먹으면 속이 안 좋을 것 같다는, 그런 것을 아는 것이다. 나와 그런 식으로 오랫동안 같이 살다 보니 장군이는 원하는 게 있어도 굳이 표현하려 들지 않을 때가 있다.

반면 흰둥이는 실내로 들어오고 싶을 때 문이 닫혀 있다면 다른 층으로 가서 사람을 부른 다음 2층으로 데려와 문을 열어 달라고 할 것이다. (실제로 그런다.) 흰둥이는 길에서 혼자 살면서, 뭐든 알아서 해야 했던 기간이 있어서인지 내가 없어도 문제를 스스로 적극적으로 해결한다.

하지만 장군이는 아주 굳은 믿음으로, 바로 이 다음 순간엔, 인간이 자신의 곤경을 알아차릴 거라고 생각한다.

하지만 인간의 안테나가 꺼져 있을 때도 있단다.

장군이는 찬 바닥에서 오래 기다린 것이 피곤했는지 곤히 잠들었다.

6월 17일

닭백숙을 만든 날은, 인간과 고양이가 사이좋게 나눠 먹는다.

장군이와 흰둥이는 식성이 매우 다르다.
흰둥이는 특별히 가리는 것 없이 비린내가 진할수록 좋아하고, 버리려
고 모아둔 닭뼈까지도 몰래 가져가 가루가 날 때까지 부숴 먹는다. (몇
번 그런 일이 있은 후, 비닐봉지에 몇 번이나 단단히 묶어서 버린다.) 반면에
장군이는 냄새 없이 잘 요리된 담백한 가금류가 아니면, 야채와 과일을
훨씬 더 좋아한다. 몸보신 좀 하라고 먹여 보려 해도, 얇게 발라 직접
입 앞까지 대령하지 않으면 먹으려 들지도 않는다.
다행히 흰둥이가 이것저것 잘 먹는 걸 보더니, 질투인지 경쟁심인지,
자기도 해보겠다고 이전보다 뭐든 더 먹게 되었다.

6월 19일

날씨가 점점 더워지고 있다. 흰둥이는 벌써 한참 전에 뻗었고, 이제는 나도 참기 힘들다. 장군이는 아직도 쾌적함에 즐거워 보이고, 늦은 털갈이를 시작했다. 저 녀석 체온은 도대체 얼마나 낮은 거야?

6월 21일

멍석딸기가 익었다. 장군이에게 처음으로 먹여 보니 굉장히 좋아했다. 약간 덜 익어 딱딱한 멍석딸기까지 남김없이 먹더니 씨앗도 야무지게 씹느라 오도독오도독 소리를 낸다. 장군이는 딸기를 좋아해서 평범하게 슈퍼에서 사온 것도, 마당에서 기르는 잘고 신맛이 진한 야생딸기(알파인스트로베리)도 좋아한다.

6월 22일

어젯밤, 장군이가 새벽 1시 40분에 귀가했다.
녀석이 새벽 2시쯤에 들어올 정도로 사생활이 있는 동물이라는 점,
또한 맘에 든다.

6월 24일

장군이가 지나가는 아이 울음소리에 으르렁대며 화를 낼 때마다 '이 고양이는
나만을 위해 섬세하게 만들어진 생명체인가…' 생각한다.

6월 27일

어제 저녁, 어두운 탓에 흰둥이가 장군이를 다른 고양이로 착각하고 공격했다. 장군이의 신경질 내는 목소리에 누군지 퍼뜩 알아차리자 날이 서 있던 흰둥이의 얼굴이 금세 맹해졌다.

장군이는 흰둥이가 공격하려 했다는 사실에 분통을 터트리며 신경질을 냈다. 창문으로 뛰어올라 흰둥이는 두고 빨리 집 안으로 들어가자며 나를 재촉했다. 내가 중간에서 어영부영 서 있자, 짜증 데시벨을 점점 더 높였다. 흰둥이는 결국 머쓱함을 참지 못하고 마당에서 도망쳤다.

온 동네 고양이를 쥐 잡듯 괴롭히고 다니는 흰둥이가 발톱도 꺼내지 않는 집고양이 장군이에게 만날 구박당하는 걸 보고 있으면, 이런 식으로 우주의 조화가 이루어지는 것인가… 생각한다.

6월 29일

장군이는 강아지풀 말고는 특별한 기호의 대상이 없어서 장군이의 마음을 사기 위해서는 물량공세보다는 존중받는 느낌이 들게 해 줘야 한다. 큰 물건을 들고 옮길 때, 놀라지 않게 조금 떨어져서 지나가는 것, 안아 올리기 전에 '들어올린다'라며 미리 귀띔하는 것, 주전자에서 나오는 김이 장군이 얼굴을 향할 때, 주전자 방향을 살짝 돌려놓는 것. 그런 작은 행동을 좋아한다.

강제로 들어올리거나

개수작 부리는 것을 그만두고
조용히 옆에 있다, 조심조심 쓰다듬으면

이것이   나의

'너를 존중하고 있는 쓰다듬'

이다.

중요한 것은 부드러운 터치로
너를 정성스럽게 대하고 있다는 의도를
노골적으로 표시하는 것이지….

그것만으로도 너무 행복해하며 인간 옆에 찰싹 붙어 있으려고 한다. 생활이 가능하지 않을 정도로. 그러면 또 꽉 껴안고 싶어지고, 장군이는 신경질 내고….

6월 30일

밥 먹으라고 부르면 바람같이 달려오던 흰둥이가 더위에 지친 나머지 얼굴만 내밀고는 야옹거리며 자기가 있는 곳까지 가져다 달라고 한다. 그럼 인간이 건물 안 계단으로 올라가 대문 윗부분과 연결되어 있는 창문으로 밥그릇을 내민다. 그제서야 어슬렁어슬렁 걸어와 먹는다.
흰둥이는 인간에게 매우 예의가 바른 고양인데, 배달까지 시키는 걸 보면 만사가 귀찮은가 보다.

7월 1일

몇 주 전부터 계속 장마가 시작될 거라고 김칫국 들이마시던 기상청이, 오늘 드디어, 마침내, 결국에야, 비 소식을 제대로 맞혔다. 사실 기상청보다 흰둥이가 더 정확하다. 흰둥이가 유독 마당에서 자기 싫다며 집 안으로 들어오려 우기는 날에는 어김없이 늦은 밤이나 아침부터 비가 내린다. 흰둥이가 슈퍼컴퓨터 대신 기상청에 가서 일해도 되는데, 말을 못 해서.

7월 2일

더워서 앞머리를 묶으면, 어김없이 장군이가 물어뜯는다.

7월 3일

매년 이맘때면 꽃나무를 번식시킨다. 번식시켜 1~2년을 키운 뒤 나눔을 한다. 가지를 잘라 깨끗한 흙에 꽂고, 줄기 아랫부분에 뿌리가 날 때까지 매일매일 물을 주며 기다린다. 뿌리를 잘 내리려면 통풍이 잘 되고 그늘진 곳에 화분을 두어야 해서 파라솔 탁자 아래에 두면, 궁금한 장군이가 꼭 몇 개씩 넘어뜨린다.

7월 4일

잠자리가 불쌍해서 자주 하지는 않지만, 장군이가 놀아 달라고 보채면 가끔 마당에서 잠자리를 잡아와 집 안에 풀어놓는다. 그럼 혼자서 잘 논다.

7월 5일

계속 비.

7월 6일

보슬비에도 정원을 둘러보시는 장 선생. 장 선생이 새벽 비가 내리는 와중에도 산책을 하시겠다고 인간을 깨우셨다.

장군이가 인간을 기상시키는 방법은 네댓 가지다. 다른 고양이들처럼 머리맡에 와서 울거나 앞발로 얼굴을 톡톡 치는 것이면 좋겠지만, 장군이는 '이렇게 하면 열받아서 아주 벌떡 일어나겠구만!' 그런 방식을 선호한다.

인간이 평상시에 싫어하는 소리, 세게 문이 닫히는 소리, 그릇이나 철기류의 쩔그렁거리는 소리를 기억해 둔 뒤, 화장실 문 앞에 두발로 서서 앞발로는 문을 마구 밀며 덜컹거리는 소리를 내거나(환장하겠다), 자기 밥그릇을 앞발로 들었다 떨어트리며 파열음을 낸다.

알림 차원에서 한두 번 낸다면 참을 수 있지만, 인간의 반응 속도가 마뜩잖으셨는지 문에 매달려서 단거리 달리기를 하는 것처럼 미친 듯이 두들기는 것이다. 그릇 소리도 끊임없이, 끊임없이! 실내에 화분이 있으면 슬그머니 가서 보란 듯이 잎을 뚝뚝 뜯는 소리를 내고, 그것도 마음에 차지 않으면 바닥에 떨어트린다. 이 얼마나 얄미우면서 감탄스러운가.

어제는 인내심을 상실하고만 인간이 씩씩거리며 일어나자, 자기도 잘못한 걸 알았는지 탁자와 의자다리 사이로 미꾸라지처럼 도망을 다녔다. 혼날 걸 알면서도 멈추지를 않는다.

7월 7일

굵은 장대비가 내렸다. 비가 들이친다고 마당 쪽으로 난 작은 창문(고양이들이 통과
해 다니는)을 누군가가 닫아 버렸나 보다. 흰둥이가 저녁을 먹으려고 집으로 돌아
왔는데 창문이 닫혀 있자 2층에 달린 간판을 밟고서는 내가 그림 그리는 책상 옆
창문까지 와서 울었다. 혹시나 하고 창문을 열었다가 눈앞에 흰둥이가 있어서 깜
짝 놀랐다.

7월 9일

정원에서 놀던 장군이가 모르는 고양이를 만났다. 상대가 털을 세우며 경계를 하는데도 장군이는 별 반응을 보이지 않고, 눈만 동그랗게 뜬 채 신기해했다. 며칠 전 흰둥이가 잘못 알아보고 경계했을 때는 그렇게 화를 냈으면서.

집에 돌아와서도 배를 보이며 뒹굴거리고 옥수수 받아먹으면서 아무 생각 없이 행복해했다. 흰둥이가 처음 우리 집에 왔을 땐, 내가 바짓단에 흰둥이 냄새를 묻히고만 와도 화를 냈다. 마당이 내려다보이는 창문에 앉아, 서서히 친해지고 있던 우리를 째려보기도 했다.

장군이에게도 영역을 지키려는 본능이 있다. 하지만 그 영역이라는 것이 공간이 아니라 나라는 인간이었다. 귀여운 장군, 언제까지나 외동으로 있고 싶었는데 인간이 몰라줬지.

7월 10일

어제부터 폭염주의보다. 장군이가 새벽 2시가 돼도 외출에서 돌아오지 않아 나가
보니, 고양이들이 돌계단 위에 뻗어 있었다.

7월 12일

비가 내리기 직전의 공기엔 흙냄새가 섞여 든다.

흰둥이가 비의 전조에, 고개를 들어 공기 중의 냄새를 맡는다. 여전히, 대부분의 시간을 밖에서 보내는 흰둥이에게는 날씨 정보가 중요하다.

나도 식물을 키우기 때문에 계절에 따라 날씨를 추적한다. 오늘밤의 최저 기온, 언제 눈이 오고 장대비가 내릴지, 기온이 언제 갑자기 떨어질지.

씨앗부터 키운 작은 새싹에 공을 들여야 하는 겨울의 끄트머리와 초봄엔 특히 그렇다. 단 한 번의 꽃샘추위와 장대비에 공들여 키운 싹이 단번에 죽기도 한다. 식물을 키우며 몇 년을 보내자, 나도 흰둥이와 같은 이유로, 공기 냄새를 맡게 됐다.

먹을 누도 없는 걸 울고 와 놓고
의기양양하군.

쓰레기

쭉 집고양이로 살아온 장군이는 우리가 뭘 하는지 영문을 모른다. 장군이는 말하
자면, 고양이계의 모글리로, 인간 손에서만 키워져, 고양이를 자기와 같은 종이라
고 생각지도 못하는 고양이다. 고양이가 하는 일을 모르니 가끔 맥락도 모르면서,
다른 고양이들이 하는 행동을 따라해, 바보짓을 하기도 한다. 그럴 때마다 흰둥이
는 눈을 가늘게 뜨고 장군이를 바라본다.

어느 날, 흰둥이가 쥐가 새끼를 친 둥지를 발견했고, 하루에 한 마리씩 크고 작은
쥐를 연이어 물고 왔다. 그날 이후, 흰둥이를 바라보는 장군이의 눈빛이 바뀌었다.
거의 그 즈음이었던 것 같다. 장군이가 멋도 모르고 흰둥이가 하는 일을 따라하기
시작한 것이.

주차 공간이 모자라 골목 여기저기에 불법주차한 차가 천지인 곳에 사는 고양이들
은, 자동차 범퍼나 바퀴에 스프레이(소량의 소변을 찍 뿌리는 것)를 해서, 영역표시
를 한다. 다른 고양이가 남긴 냄새를 맡으며, 녀석들이 언제 어디까지 왔었는지도
확인하는 것이다.

흰둥이가 그렇게 영역표시를 하는 걸 본 장군이가, 자기도 따라하겠다며 우리 집 차에 오줌을 누기 시작했다. 스프레이하는 방법도, 스프레이가 뭔지도 모르는 장군이는 자기 방광에 있는 모든 오줌을 짜내 싸고 있었다.

한참 동안이나 오줌을 싸고 있는 모습에 나와 흰둥이는 말을 잃었다. 장군이가 아무 생각 없이 하는 행동임을 아는 흰둥이는, 자기 앞에서 당당히 영역표시를 하고 있는 모글리에게 화도 내지 않고, 그저 흐릿한 눈빛으로 쳐다보기만 했다.

개랑은 싸우는 거 아냐!

장군이의 모글리함은 끝이 없다. TV 다큐멘터리에서 늑대가 하울링하는 소리가 들리면 흰둥이는 어쩔 줄 모르고 우왕좌왕하지만, 장군이는 늘어져서 일어날 생각도 하지 않는다. 장군이는 자기 신경에 거슬리면 상대를 가리지 않고 화를 내는 반면, 흰둥이는 화를 내는 상대를 고르는 명확한 기준이 있다. 그것은 바로, 자기와 영역을 두고 싸울 가능성이 있는 상대인가, 아닌가다.

장군이가 흰둥이를 따라하기는 하지만, 그 맥락을 모르니, 한두 번 따라하다가 곧
그만둔다. 장군이에겐 스프레이 냄새로 이게 어떤 고양이인지, 몇 마리인지, 그들
이 이 거리를 언제 어느 만큼 오갔는지 추정할 수 있는 그런 지식이 없다.

그러나 집에 정기적으로 오는 택배 트럭의 엔진 소리나 화실 아이들 중 자기를 귀
찮게 하는 아이의 발자국 소리는 금세 알아챈다. 인간이 키우는 식물 중, 새싹은
절대로 밟으면 안 된다는 것도 알고, 인간이 네모난 검은 물건을 본인 앞에 들이밀
때 멋진 포즈를 취하면 계속 찰칵거리기 때문에 절대 원하는 포즈를 취해서 만족
감을 주면 안 된다는 것. 그것은 흰둥이는 모르는 집고양이 세계의 지식이다.

7월 14일

흰둥이와 노랑이가 동네가 떠나가라 소리지르며 싸우는데, 장군이가 여유로운 포즈와 흥미진진한 눈빛으로 둘을 관전하고 있었다.

흰여뀌

토마토

명아주

붉은서나물

비름

7월 15일

장군이가 몸에 풀냄새를 묻히고 들어왔다. 분명 아는 식물의 향인데 좀처럼 무엇인지 생각이 나지 않아 잡초 정리도 할 겸 내려가서 마당에 있는 풀을 하나씩 뽑아 냄새를 맡아 보았다. 정답은 토마토였다. 쌉쌀하고 코를 괴롭히는 진한 풀냄새. 며칠 전에 엉망으로 자란 토마토 줄기를 뽑아서 마당 한쪽에 쌓아 뒀는데 거기에 있다가 왔나 보다.

장군이는 체향이 거의 없어서 어딜 가서 뭘 하든 몸에 냄새를 묻혀 온다. 더워서 담장 옆 그늘에 앉아 있다 오면 서늘한 시멘트 냄새가 나고, (그런 일은 거의 없지만) 누구 품에 안겼거나 쓰다듬을 받다가 오면 화장품 냄새가 난다. 부엌에 있다 오면 반찬 냄새, 정원에 다녀오면 흙냄새, 화창한 날엔 햇볕 냄새.

7월 16일

노랑이가 건물 안까지 들어와, 흰둥이에게 싸움을 건다. 건물 안
은 인간의 영역이라 지금까지 어떤 고양이도 들어올 생각을 하지
못했다. 고무 개집 안에 들어가 쉬고 있는 흰둥이를 굳이 찾아가
싸움을 거는 걸 보면, 노랑이는 적극적으로 흰둥이를 영역 밖으
로 내쫓을 생각인가 보다.

흰둥이와 노랑이, 둘 다 서로 모자름 없이 깡패 같은 녀석들이다.
똑같은 녀석 둘이 만났으니, 싸움이 끝나지 않는 것이 당연하다.
흰둥이가 한번은 간만 보고 도망가려는 길고양이를, 굳이 안고
뒹굴어, 담장 아래 골목으로 같이 떨어진 적이 있다. 건물과 건물
사이 좁은 공간 안에, 잔뜩 흥분한 고양이 둘이 갇혀, 그 안에서
푸닥거리를 하다가 흰둥이는 눈가에 깊게 찢어진 상처를 얻었다.
흰둥이는 풀이 죽어 며칠을 웅크리고 있었고, 상처는 진물로 심
하게 곪아 갔다. 인간이 치료해 주지 않았더라면 눈에 무슨 일이
생겼을지 모르는 일. 어쩌다 다친지 다 알고 있는데, 흰둥이는 나
한테 와서 아프다고 잉잉 울고 억울해했다.

7월 18일

맞은편 건물에 사는 갓난아이의 울음소리를, 고양이 싸우는 소리로 매번 헷갈렸다. 흰둥이의 반응을 보니 헷갈리는 게 인간만은 아닌 듯하다.

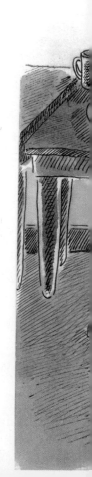

7월 21일

학교 앞에서 병아리를 파는 날이면 화실에 오는 아이들 중 한 명은 꼭 병아리를 데리고 온다. 그럴 때마다 장군이가 흥분해서 어쩔 줄 몰라 했는데, 이웃 오피스텔의 누군가가 그 병아리를 성공적으로 키우고 있는 모양이다. 병아리 우는 소리가 화실에까지 들리면, 장군이는 동공이 커진 채로, 어딘가에 있을 병아리를 찾아 헤맨다.

그렇게 보이지 않는 병아리를 찾아 헤매고 헤매다

결국은 에너지 부족으로 포기하기를 이틀째다.

7월 22일

흰둥이와 노랑이는 계속 싸우고 있다. 어제도 싸웠고, 오늘도 싸웠다. 본격적인 싸움이 시작되자, 함께 마당에 있던 장군이가 집 안으로 뛰어들어왔다.
인간은 참고 참다, 점점 시끄러워지는 고양이 싸움에 물을 뿌려 해산시켰다. (고양이 몸에 직접 닿지 않도록 한다.) 흰둥이는 담장 위로 올라가 물줄기를 피했으나, 곧 나한테 잡혀 2차로 혼났다. 혼내면서도 무용한 일이구나 싶었다.

7월 23일

집 밖에서 만나면 무척 반가워하며 같이 하하 호호 하며 집까지 오는데, 오고 나면 특별히 할 일도 없고, 반가움도 가시고, 서로 뻘쭘하게 어색하게 있다가, 각자 하던 일을 마저 하러 간다.

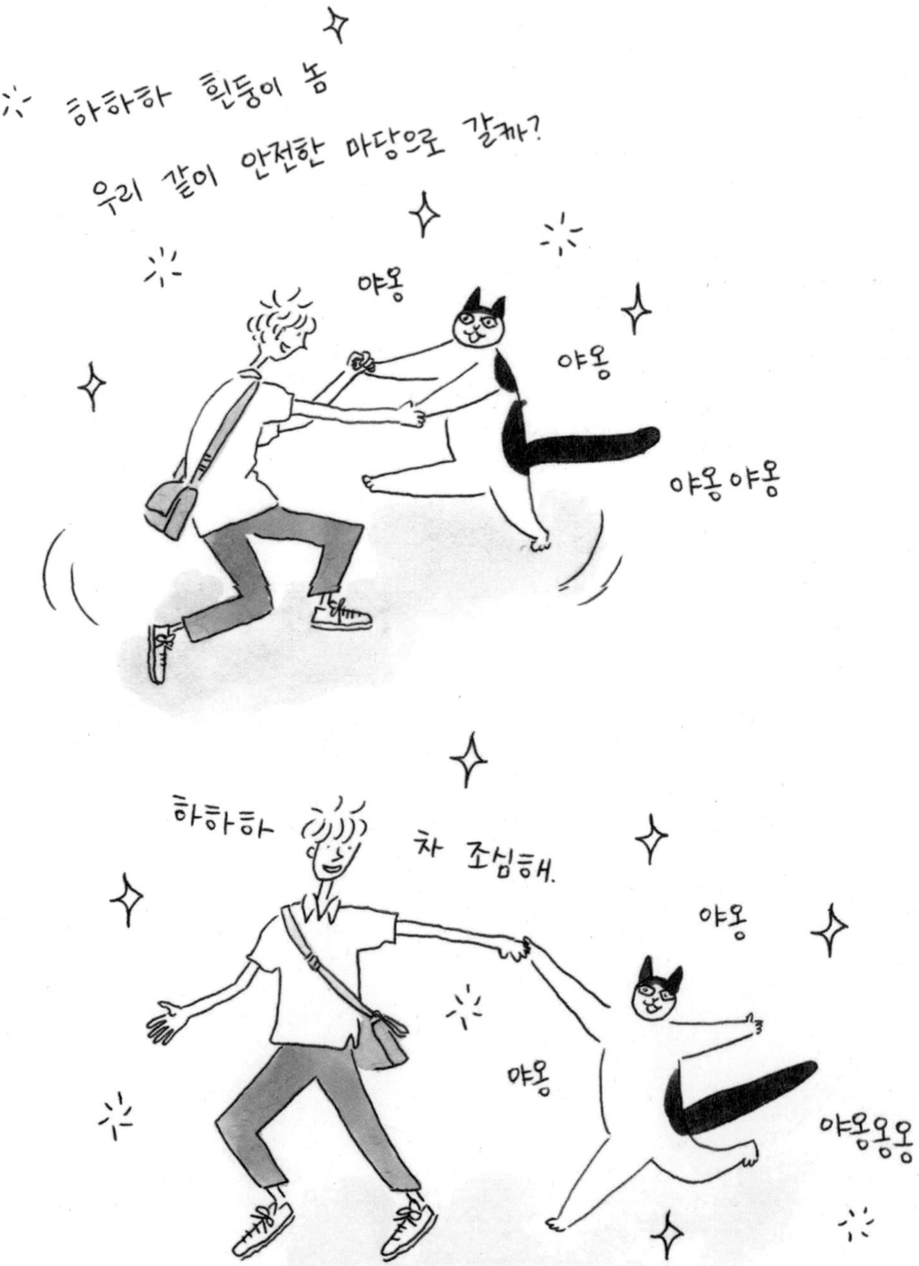
하하하 흰둥이 놈
우리 같이 안전한 마당으로 갈까?
야옹
야옹
야옹야옹
하하하
차 조심해.
야옹
야옹
야옹옹옹

마당에 왔지만,

특별히 할 일이 없다.

팔 아픈데요.

그럼 밥때 되면
돌아오겠습니다.

안녕

7월 24일

흰둥이와 노랑이의 싸움에, 장군이가 모호한 위치에서 둘을 멀뚱히 쳐다
보고 있었다. 그 셋을 보느라 인간이 기척을 내자, 가만히 있던 장군이가
고개를 휙 치켜들어 3층의 나를 발견했다. 그러더니 바로 노랑이를 향해
"우아앙" 화를 냈다.

저번부터 싸움 중에 내가 나타나면 장군이가 갑자기 으르렁대서 왜 그런
가 했는데, 오늘 보니 무서워서 쫄아 있다가 인간이 나타나면 뒷배가 든
든해져 성질을 내는 것 같다. 귀여운 자식.

인간이 뿌리는 물에 노랑이는 도망갔고, 장군이는 집으로 귀가, 흰둥이는
노랑이를 쫓아 마당을 벗어났다. 육탄전이 있었는지, 흰둥이는 몸통이 먼
지투성이고, 목덜미 쪽 털에 피가 엉겨붙은 채 돌아왔다.

7월 25일

산책 중이던 장군이가 태비(회색 줄무늬 고양이)에게 공격당했다.
노랑이와 똑같은 위치인 머리 윗부분과 등, 꼬리에 회색 줄무늬가 있어서,
저녁에는 구분하기도 어렵다.
그 위치에 무늬가 있는 것은 색만 다를 뿐 흰둥이도 그렇다. 흔하게 무늬
가 있는 곳이다.

장군이는 화실로 뛰어들어와 공격을 피했고, 인간 품에 안겨 분노에 차 씩씩거렸다.

7월 26일

태비가 장군이를 쫓아 건물 2층까지 따라왔다.

태비는 몇 년 전부터 줄기차게 흰둥이와 싸워 왔던 고양이로, 체급으로는 흰둥이와 비교되지 않지만, 끈질김이 남달라, 흰둥이를 궁지로 몰아넣던 녀석이다. 하루에도 몇 번씩, 쉬고 있는 흰둥이를 급습하는 방식으로 공격했다. 그해 싸움과 추위에 지친 것이, 흰둥이가 우리 집에 반쯤 걸친 상태로 살게 된 이유였다.

내가 녀석들 싸움도 자주 방해했기 때문에, 태비는 내 얼굴을 정확히 알고 있다. 하루는 도망가다 멈춰서 서 내 눈을 똑바로 쳐다보았는데, 그 눈에 담긴 원망이란…. 2층까지 올라왔던 태비는, 화실에서 나오던 나와 마주치자, 2층 창문에서 뛰어내려 달아났다. 정말 정신 나간 놈이다. 장군이는 쫓겨서 들어왔으면서도 도망가는 태비를 보려고 또 마당으로 뛰쳐나갔다. 인간에겐 모두가 먹을 수 있을 만큼의 충분한 고양이 밥이 있으니, 모두 진정하고, 전쟁을 멈추라고, 누군가 고양이들에게 전해 줘.

7월 29일

내일 주려고 한 닭가슴살을, 흰둥이가 통째로 입에 욱여넣고 먹다 인간
에게 들켰다.
엄청 잘 먹는 게 귀여워.

7월 30일

영역으로 들어와 싸움을 거는 고양이들이, 지금까지는 흰둥이만 목표로 하다가, 최근엔 장군이까지 공격하고 있다. 그렇게 되자, 흰둥이와 장군이 사이가 갑자기 좋아졌다. 길고양이가 모습을 보이면, 둘은 고양이가 사라진 쪽을 향해 같이 몸을 동그랗게 말고 앉아서 경계한다. 공동의 적이 생겨 동맹을 맺었다.

내가 혼자 있는 시간을 못 견디는 건 아냐.

하지만 다른 곳에 갈 때는 말해 주고 가야 할 거 아냐!

미안

7월 31일

말을 하지 않고 외출하면 귀가한 뒤 장군이에게 혼난다.

8월 1일

흰둥이가 콧잔등과 목, 뒷다리에 깊은 상처가 난 채 돌아왔다. 흰둥이는 예뻐해 달라며 계속 칭얼댔다. 싸움이 심해지면 위로가 필요한지, 인간에게 한참이나 달라붙어 있는다.
흰둥이가 아직 어설픈 청소년 고양이였을 때, 그때도 새벽에 눈가가 찢어져서 와서는 엉엉 울다가 갔었다.

8월 2일

흰둥이와 장군이 사이가 나쁘지 않다. 이 날이 오기만을 기다렸(다고 생각했)지만 인간은 허전함을 느끼고 있다. 하룻강아지 장군이가 생존왕 흰둥이를 구박하고, 시무룩해진 흰둥이를 인간이 위로하는 것, 이것이 몇 년 동안 이어진 우리의 레퍼토리였는데 갑자기 내 파트가 사라졌다.

8월 7일

흰둥이는 우리와 3년도 더 넘게 지냈는데
아직도 야생동물 티를 낸다.

폐 눌린다고!

장군이는 인간에게 안겨 있다 내려가고 싶으면 팔다리를 버둥거리는데, 흰둥이
는 인간을 벽면 삼아 파쿠르(장비 없이 장애물을 이용해서 신속히 이동하는 기술)를
한다.

8월 9일

장군이 턱에 링웜 바이러스가 생겨 조그만 '땜빵'이 생겼다. 비가 온 뒤 습하고 축축
한 마당을 돌아다녀서 생긴 듯하다. 계속 약을 발라 주고 있지만, 옮을 것 같아서 되
도록 멀리했다. 장군이도 처음 며칠은 만족스러워하다, 뭔가 이상한지 자꾸 내 주변
을 얼쩡거리기 시작했다. 인간은 그 모습을 보며 탈모의 예감에 불안하다.

재작년에는 이마에 옮아 탈모가 한 달이나 갔다. 장군이가 가까이 올 때마다 이마가 간지러운 것은 기분 탓인가?

8월 10일

친해지고 얼마 되지 않아 흰둥이가 내 등 위에 올라가서 잠을 자기 시작했다.

처음에는 내가 그렇게 좋은가 싶었으나 그게 아니라 적이 너무 많다 보니 그 녀석들이 절대 공격할 수 없는 곳에서 부족한 수면 시간을 채우는 것이었다.

8월 12일

장군이가 시원한 곳을 찾아 집 안을 돌아다니는 걸 보고 털을 밀기로 했다.

흰둥이는 털을 밀고 샤워할 때까지 얌전하게 있다가 목욕탕을 나오자마자 이 기회를 기다렸다는 듯 집을 뛰쳐나갔다.

내가 이유 없이 괴롭힐 때가 있지만,
이번엔, 그런 게 아니었던 거지.

인간님
너무 시원해요.

그냥 따라다님.
↓

그리 멀리 가지도 않고 복도 창문에서 젖은 몸으로 뜨뜻한 밤바람을 맞으며 개운
해하고 있었다.

다음 날 배털을 마저 밀려고 하자 손으로 몸을 제압할 필요도 없이 흰둥이는 팔을 벌리고 얌전히 깎임을 당했다.

구석구석 잘 부탁해요.

네가 똑똑해서 좋아하는 건 아니지만, 영리하니까, 편하긴 해.

나도 잘 부탁해.

고양이는 민감해서 미용을 하려면 전신마취를 해야 한다고 들었는데 폭염이 견디기 힘들었는지 장군이와 흰둥이는 가만히 털을 밀리는 쪽을 택했다. 장군이도 흰둥이가 그랬던 것처럼 몸을 맡긴 채 얌전히 누웠다.

젖꼭지 잘라 버릴 뻔한 죄인이라,
거절을 못하고 있다.

8월 17일

불가사의한 일이 일어났다. 흰둥이가 장군이 등을 핥는데도, 장군이에게 얻어맞
지 않았다.

수년 전 장군이 엉덩이를 핥으려다가 얻어터진 이후 시도도 하지 못했던 것인데,
장군이가 이걸 받아 주다니 내 눈을 믿을 수가 없다.

8월 18일

마른장마에 신나게 번식한 말벌이 극성이다. 마당에 화분도 많고 큰 대추나무가 있어서 늘 벌레가 있는 편이지만, 말벌로 이렇게 신경 쓰기는 10년 만에 처음이다. 얼마나 심한지 방충망이나 문을 잠시라도 열고 있으면 대여섯 마리가 눈 깜짝할 새에 들어온다. 처음에는 나가기만을 기다렸는데 한두 마리도 아니고 네댓 마리씩 들어와서 윙윙거리는 게 너무 위협적이라 가만히 둘 수가 없다. 내가 호들갑을 떨면서 한 마리씩 잡으면 장군이도 날 따라다니며 으르렁거린다. 그러나 그것도 잠시, 이젠 늘 있는 일이라고 시큰둥하다.

8월 19일

옆집 멸치볶음 만드는 냄새에
고양이들은 설렌다.

8월 22일

여름밤.

8월 24일

흰둥이가 몸 여기저기에 상처를 달고 온 날(8월 1일) 이후, 몇 주 동안 태비와 노랑이가 보이지 않는다. 흰둥이 몸에 다시 자잘한 상처가 보여, 싸움이 시작된 줄은 알았지만, 상대는 보이지 않는다. 내가 싸움에 하도 많이 끼어드니, 고양이들이 마당으로 와 흰둥이를 꾀어내, 다른 장소로 가서 싸우는 것 같다.

한번은 흰둥이와 함께 마당에 있는데, 상대 고양이 소리는 나는데 모습은 보이진 않았다. 하지만 미끼를 기꺼이 문 흰둥이는 소리 나는 곳으로 뛰쳐나갔다. 아무런 소리가 없을 때도, 흰둥이는 가끔 기척을 느끼는 듯 으르렁거리다, 또 밖으로 뛰어나간다.

상대방도 계속 생각을 한다. 끊임없이 방법을 바꿔 싸움을 걸고, 흰둥이는 열정적으로 응한다. 싸움이 없는 겨울날엔 무료해하다, 봄이 되어 난리통이 시작될 기미가 보이면, 얼마나 생기가 도는지…. 그러다 좀 얻어맞기라도 하면 세상에서 제일 슬픈 고양이처럼 굴면서, 어쨌든 싸움을 즐긴다. 흰둥이는 길고양이가 너무 천직이다.

새벽부터
잘 먹네.

8월 27일

흰둥이는 캔만 먹은 날이면 건사료를 섞어서 먹은 날보다 배가 빨리 꺼지는지, 다음 날 이른 새벽부터 아침을 달라고 한다. 기특한 일을 했거나 흰둥이의 기분을 북돋아 주고 싶을 때에는 캔만 주는데 그런 날은 어김없이 새벽에 일어나야 해서, 잠을 설친다.

날씨가 춥거나 비가 오는 날에도 일찍 돌아와서 밥을 보챈다. 체온 유지하는 데 열량이 많이 필요한가 보다. 흰둥이의 바이오리듬이 너무 칼 같은 게 귀엽다.

8월 30일

3일째 내린 비로, 기온이 떨어지자 흰둥이는 귀가할 때마다 투덜거렸다. 날씨가 추워지면 녀석의 등, 언제나 똑같은 곳에 까만 얼룩이 생긴다. 차 밑에 들어가서 추위를 넘겨 보려다 기름 얼룩이 묻는 것이다. 얼룩을 닦으려고 하면 싫어서 버둥대면서.

9월 1일

쌀쌀해지자 흰둥이가 인간 옆에 계속 붙어 있다.
겨우 풀린 장군이의 눈초리가 다시 매서워지고 있다.

9월 2일

가을이 되었으니 씨앗을 모을 때가 되었다. 채취한 씨앗을 넣기에는 네
모로 몇 번 접은 손수건이 가장 편하다. 옷 주머니에 씨앗을 넣으면 바
스라지고, 씨앗끼리 섞이고, 옷도 버린다. 플라스틱 씨앗 통이나 종이
봉투는 좋아 보이지만, 막상 가지고 다니면서 사용하기에는 거추장스
럽고 자리도 많이 차지한다. 손수건이 접힌, 사이사이에 씨앗이 섞이지
않게 종류별로 나누어 넣은 후 재킷 안주머니에 넣는다. 이렇게 하는 것
이 가장 간편하고, 씨앗도 흠 없이 데리고 올 수 있다. 집에 도착해서는
손수건에 따로따로 넣은 씨앗을 직접 만든 씨앗 봉투에 분류한다.

9월 3일

채집해 온 씨앗을 하얀 종이 위에서 정리하고 있으면 장군이가 꼭 들러 검사를 한다. 인간은 고양이가 꼬리를 실룩거릴 때마다 씨앗이 날아갈까 봐 신경이 쓰인다.

막 채취한 씨앗은 바짝 마른 상태가 아니기 때문에 플라스틱 통이나 비닐 백에 밀봉해서 보관하면 곰팡이가 핀다. 그림처럼 접어서 만든 종이봉투에 넣어서 보관하면 곰팡이 걱정 없이 잘 말릴 수 있다.

인간이 봄이 되어 파종을 하겠다고 씨앗 상자를 자꾸 만지작거리면(봄마다 굉장히 많은 양을 새로 키우기 때문에 몇 주에 걸쳐 씨를 계속 뿌리게 된다. 씨앗마다 싹트는 조건 이 다르다 보니, 그걸 생각하면서 상자 안의 씨앗을 몇 번이나 꺼냈다, 집어 넣었다를 반복 하면) 장군이도 궁금한지 상자 안에 얼굴을 파묻고, 앞발로 휘저어 본다.

이 목걸이는 세게 힘을 주면 끊어져서
산책하다 나뭇가지 같은 데 걸리거나 해도,
위험하지 않을 거야.

9월 5일

가끔 흰둥이가 길고양이인 줄 알고 발을 구르며 위협하는 사람들이 있다. 그런 사람들은 하나같이, 고양이를 보면 방아쇠가 당겨진 듯, 몸부터 먼저 나간다. 생각이 일어날 찰나가 없는 행동. 이것만 봐도 약자 멸시는 학습된 폭력이며, 스스로 생각할 의지가 없는 인간의 행동이라는 것을 알 수 있다.

내가 나타나 저 고양이는 내 고양이다라고 말하면 상대방은 대부분 당황스러워한다. 그러고는 미꾸라지처럼 혼잣말을 하며(주인이 있는 고양이인 줄 몰랐다는 황당한 소리) 상황을 빠져나가려 한다. 차라리 나한테까지 욕을 하며 발길질을 하려 든다면, 그보단 덜 혐오스러울 텐데.

그런 일이 몇 번 있은 뒤, 흰둥이에게 목걸이를 걸어 줬다. 지금까지 걸어 주지 않은 이유는, 외출 고양이가 목걸이 때문에 나뭇가지나 철조망 등 어딘가에 걸려 옴짝달싹 못하게 되면 위험할 수 있기 때문이다. 그래서 힘을 주면 이음새가 쉽게 풀어지도록 만들어진 목걸이를 구해 걸어 줬다.

집을 나서는 흰둥이의 뒷모습을 보며, 저게 과연 얼마나 갈까… 했는데, 귀가한 녀석의 목덜미가 휑하다. 역시 흰둥이는 날 실망시키지 않아.

9월 8일

흰둥이가 매일같이 쥐를 잡아와서, 그 시체를 아침마다 치우고 있다.

저녁에는 잇몸병 걸린다고, 흰둥이의 쥐 잡은 이빨을 양치해 준다. 이 인간의 사랑이 어떤 것인지 흰둥이는 모른다.

장군이 꼬리

9월 10일

사이가 조금 누그러질 기미가 보이자, 흰둥이가 '이제 장난을 걸어도 되겠지?' 하
며 시도 때도 없이 장군이를 건드린다.

장군이 머리

그래봤자 몸 위에 가볍게 손을 몇 번 올린 것뿐인데

그만 좀 해!

성질이 난 장군이에게 얻어맞고 원래의 사이로 돌아갔다. 며칠간 인간에게 너무
애교를 부려서 장군이의 미움을 샀는데 그걸 몰랐나 보다.

흰둥이는 여전히 장군이를 보면 반가워하지만, 장군이는 그러거나 말거나 상대해
주지 않는다.

매번 푸대접받으면서도 흰둥이가 장군이에게 질척거리는 이유는 동네 고양이만 보면 싸우고 쫓아내서 친구가 하나도 없는데, 그런 주제에 외로움을 타기 때문이다.

9월 11일

장군이에게 구박당하는 모습을 볼 때마다 이렇게 말하지만

흰둥아, 장군이는 포기하고,
동네 고양이들이랑 친하게 지내는 게
어때?

우는 소릴 하시는
거예요.

안 되는 게 당연하다는 걸,
인간님은 알고 있잖아요.

야옹야옹

말하는 나도 흰둥이의 마음을 이해한다. 같은 종만 보면 경계심이 발동하는 흰둥
이에게 친구라는 것은 갖기 너무 어려운 것이다.

흰둥이가 길 생활을 할 때는 인상도 지금과 많이 달랐다. 매일 여럿의 길고양이들
과 싸우느라 상처투성이에 미간엔 깊은 주름이 있었고 눈도 지금보다 훨씬 날카로
운, 늑대 같은 얼굴이었다.

왜 이렇게 고양이만 보면 싸우느냐고 타박만 할 수도 없는 것이 흰둥이가 막 홀로
서기를 시작했을 때 이 동네의 영역싸움이 굉장히 심했다. 터줏대감인 고양이가
자리를 비우게 되었는데 자신의 영역이 없던 고양이들이 이 좁은 영역으로 모두
몰려들었기 때문이다.

겨울이 곧 시작되려는 참이었고 모두 자기 영역이 절실하게 필요했다. 처음 겨울
을 맞은 청소년 고양이인 흰둥이는 다른 선택을 할 기회도 없이 살려면 연이어 싸
우는 수밖에 없었다. 그런 식으로 홀로서기를 한 이후로 흰둥이에게 고양이는 영
역을 뺏으러 온 상대이므로 싸우는 것이 당연하게 되어 버렸다.

그해에 하루 종일 싸우다가 지쳤을 때 위로해 주는 존재가 나뿐이어서 흰둥이는 얼렁뚱땅 우리 집 마당에 머물게 되었다. 하지만 흰둥이에게 사람 손을 탄다는 것은 이해하기 어렵고 가끔은 무서운 경험이었을 것이다. 나는 여전히 길에서 자기를 위협하던 인간들과 똑같은 인간이었다. 흰둥이는 나에게 중성화수술을 당했고, 피부병 치료를 위해 온몸의 털이 밀렸고, 등짝은 몇 번이나 주삿바늘에 찔려야 했다.

중성화수술 후 회복되는 동안 흰둥이는 실내에 갇혀 있었고, 그동안 흰둥이의 작은 위로는 신기하게도 장군이었다. 시작은 그렇지 않았지만, 어쩌다 보니 그렇게 되어 버렸다. 처음에 흰둥이는 이 집도 쟁취해야 하는 영역인 것처럼 장군이를 내쫓고 자기 걸로 만들려 했다. 하지만 눈치가 빨라 인간이 그럴 때마다 심기불편해한다는 걸 알고는 바로 싸움걸기를 멈췄다. 장군이는 그때 기억으로 지금까지 흰둥이를 불편해하지만 그래도 마음 편한 집고양이다 보니 모질지가 않았다. 흰둥이가 모르는 척하고 장군이에게 다가가 앉으면 장군이는 가만히 있는다.

인간이 알약을 먹이거나 목욕을 시키는 등 자기가 이해할 수 없는 짓을 하면 흰둥이는 장군이 옆에 앉아 이해할 수 없는 시간을 어찌어찌 넘겼다.

몇 년이 지나자 둘이 술래잡기도 한다. 그렇게 장군이가 한번이라도 어울려 주면 흰둥이는 들떠서 장군이에게 평소보다 가까이 가려 하고, 그러다 또 얻어맞는다.
아마 장군이는 흰둥이가 독립하고 난 후 처음으로 사귄 친구였을 것이다.

9월 12일

지진이 났다. 진도 5.1의 첫 번째 지진은 느끼지 못했지만, 진도 5.8
인 두 번째 지진은 확실히 느꼈다. 나는 잠시 균형을 잃었고 장군이
는 놀라서 문으로 달려가 열린 틈으로 무슨 일이 벌어진 건지 살폈
다. 우리는 진원지에서 매우 멀리 있었는데도 큰 지진임을 확실히
느꼈고, 바로 원전의 상태를 검색했다.

9월 16일

노랑 고양이에 대한 사실을 몇 가지 알게 되었다. 노랑 고양이는 80퍼센트가 수컷이고 모두 줄무늬를 가졌다는 것. 주근깨처럼 코와 입 안에 갈색과 검은 점이 있을 수도 있고, 비만 유전자를 가지고 있어, 쉽게 살이 찐다는 것이다. 주근깨와 뱃살이 생기는 유전자라니 장군이의 귀여움은 유전자로부터 비롯된 것인가?

마당이 있는 이 집으로 이사 오고 나서 몇 년간 건물 주위의 고양이는 모두 노랑이었다. 노랗고 키가 작거나, 노랗고 키가 크고, 노랗고 뚱뚱하고, 노랗고 말이 많고, 노랗고 퉁명스러운… 노랑이들은 성격이 느긋해서 영역싸움을 할 때도 투덜거리기만 하고 실제로 육탄전을 벌이는 경우가 없었다. 그리고 정말 대부분이 수컷이었다.

그러던 어느 날, 젖먹이 고양이를 잠시 봐 줄 사람을 구한다는 글을 인터넷에서 발견했다. 글을 올린 사람은 내가 사는 곳에서 5분 거리에 살고 있었고, 나도 마침 휴학 중이어서, 젖먹이를 임시보호 하기로 결정했다.

구조해 주신 분이 고양이와 함께 나타나길 기다리면서 어떤 색다르고 멋진 고양이가 올지 기대했다. 얼마 후 구조자분이 들고 온 박스 안에서 튀어나온 고양이는 또 노랑둥이에 수컷이었다.

9월 18일

상한 과일이나 과일 껍질을 마당 한쪽에 모아서 버린다. 그걸 쪼아 먹으러 모인 새들을, 장군이가 때때로 노린다. 그럴 때, 어떤 새는 도망가고, 어떤 새는 높이 올라가 짹짹거리며 화를 내고, 어떤 새는 슬며시 장군이 근처로 내려앉는다. 그걸 장군이가 덮치려 하면 날아가고, 날아갔다가도 다시 장군이 근처로 내려앉아, 덮치려 하면 또 날아가기를 반복한다.

그렇게 놀림당하지만 장군이도 즐거워 보인다.

9월 20일

일요일에 흰둥이가 늘 물어 오던 쥐 대신에 닭튀김 껍데기를 선물했다.

9월 21일

새벽 4시 30분.

태비와 흰둥이 싸움에 하도 많이 끼어들었더니, 이제는
아무렇지 않게 걸어 들어가 한 놈을 들고 나올 수 있다.

9월 23일

나이를 먹은 탓인지 고양이들이 코를 골기 시작했다. 그 소리가 조용히 내리는 비처럼 마음을 편하게 한다.

9월 26일

아이패드에 저장된 동영상을 정리하기 위해 하나하나 다시 틀어 보던 중 흰둥이가 영상 속 고양이 목소리에 반응해 으르릉거렸다. 영상 속에는 장군이와 흰둥이, 태비, 노랑이, 새로 나타난 작은 갈색 털 고양이 등 여러 아이 목소리가 담겨 있었다. 흰둥이는 그중에서 작고 짧게 으르렁대는 노랑이 소리에 털을 삐쭉 세우고서 경계 태세에 들어갔다.

인간에게는 똑같게만 들리는데 흰둥이가 목소리로 고양이를 정확히 구분하는 것 같아 신기해 여러 아이의 목소리를 반복해서 들려줬다. 흰둥이는 정확히 노랑이의 짧은 목소리에만 반응했고, 몇 번 반복해서 들려주자 긴장해서 서랍장 위로 올라가 뒷다리를 덜덜 떨었다. 이것으로 알 수 있는 것은, 고양이들은 서로의 목소리를 정확히 알고 있다는 것과 요즘 이 구역에서 가장 무서운 녀석은 노랑이라는 것.

흰둥이가 어렸을 때는 제대로 못 먹고, 추위에 떨어 가며 힘들게 영역을 지켰다. 지금은 인간이 주는 밥에 따뜻한 잠자리도 있어 다른 고양이들로부터 마당을 지키는 일이 해볼 만할 거라고 생각했는데 이렇게 벌벌 떨면서도 나가 싸우고 있는 줄은 몰랐다. 안쓰러워서 간식을 까 줬다.

흰둥이도 안쓰럽지만 싸우는 상대편 고양이도 잘 싸우든 눈치를 보고 피해 가든 모두 안타깝다. 흰둥이를 보살피고, 싸움을 따라다니며 말리는 동안 길고양이가 어떻게 사는지 알게 되었다. 도시의 골목에는 먹을 게 터무니없이 모자라고, 영역을 지키느라 며칠 동안 잠도 자지 못한다. 언젠가 잔뜩 지친 흰둥이를 지나가는 중학생 무리가 발을 구르며 겁주는 것을 보았다. 그 아이들은 흰둥이가 어떤 밤을 보내는지 모를 것이다. 그리고 흰둥이가 그렇게 영역을 지켜내는 과정에서, 쫓겨난 갈색 털 고양이가 8차선 도로 옆, 아무도 원하지 않는 땅으로 가 결국 차에 치여 죽었다는 것도 모를 것이다. 먹고사는 게 너무너무 힘든 건 정상적인 일도, 자연스러운 일도 아니다.

9월 28일

날씨가 쌀쌀해져 흰둥이가 밥을 더 먹게 되자, 의사소통에 약간의 미스가 있었다.

10월 3일

흰둥이는 화실이 다 비어 조용해지길 기다렸다가 올라와 밥을 먹는다. 오늘은 주말이라서 일찍 올라와도 되는데 시간이 되지 않았다고 생각했는지 건물 복도에서 기다리고 있었다. 비까지 와서 쌀쌀해지자 발 닦는 매트를 이불 삼아 덮어 보려다가 실패했다.

탁

고양이 앞발로는 매트를 이불처럼 덮는 게 쉽지 않지. 그래도 가끔 성공할 때가 있다. 인간은 흰둥이가 그러고 있는 걸 볼 때마다 데리고 들어와 샤워를 시킨다.

10월 5일

환절기를 맞아 장군이는 설사병에 걸렸고, 나는 감기 걸리기 직전이다. 장군님은 오늘 내내 토하고 설사하기를 반복했고, 가만히 앉아 있을 때도 얼굴을 찌푸리고 있다. 조그만 털 뭉치가 온통 똥냄새 범벅이 돼 가지고서는 나에게 와 위로를 바라고 있다. 달리 해 줄 건 없고 며칠 주는 걸 게을리 한 영양제를 줬다. 내일까지 토하면 병원에 데리고 가야겠다.

먹기만 하면 토해서 물과 음식을 치웠는데 자기도 먹으면 안 될 것 같은지 보채지 않는다. 그릇에 고인 빗물을 마시고 탈이 난 걸까? 그것이 신경 쓰여 아침에 내려가 정원의 물그릇을 뒤집어 두었다.

나는 감기에 걸린 것은 아닌데 걸릴 것 같은 애매한 전조에 얇은 목도리를 꺼내 둘렀다. 집고양이와 집인간은 이렇게 환절기 맞이를 하는데 길고양이인 흰둥이는 언제나처럼 활기차다.

장군이가 사고 당하기 전날 밤, 흰둥이가 대추나무 꼭대기에서 울고 있었
다. 도와주려 내려갔지만 내가 어떻게 해 줄 수 있는 상황이 아니었다.

미동 없이 앉아 있다가 내가 말을 걸자 흰둥
이는 조금씩 아래로 내려왔다.

흰둥이가 다 내려온 후에야 장군이가 담장에 느긋하게 누워서 구경하고 있는 걸 발견했다.

컨디션이 안 좋아, 밥도 잘 못 먹었으면서 궁금증에 비로 젖어 축축한 담벼락에 누워 구경하고 있던 게 우습고 귀여웠다.
그리고 그 전날엔 흰둥이더러 먼저 놀자고 해놓고는 술래만 시켰다.

장군이의 까칠함은 자라나면서 생긴 것이 아니었다. 필연적인 이유나 사건으로 만들어진 것도 아닌, 태어날 때부터 자기 뱃속에 성질머리의 일부분을 가지고 세상에 나온 것이었다.

내가 어미 고양이처럼
그루밍을 해 주지.

이 알콜 성분이 첨가된
울티슈로 말이야.

(전략)

고양이는 어미의 성격을 닮는 경우가
　　많습니다.
그래서 어미 고양이가 인간에게
　　우호적인 경우, 새끼 고양이도 우호적이고,
인간에게 공격적인 경우엔 새끼들도
　　인간과 친해지기 어렵습니다.
까칠한 녀석들은 눈이 뜨지 않았을 때부터
　　하악질을 하기도 합니다.

(후략)

그런 성격은 장군이의 본질이었고,
나는 사랑에 빠졌다.

10월 6일

그건 되게 이상한 사고였다. 장군이의 영역은 작은 정원과 정원을 둘러싸고 있는 담장뿐이었는데 그날 장군이는 영역을 벗어나겠다는 선택을 했다. 8년 동안 한 번도 그런 적이 없었으면서.

장군이가 담장을 따라 짧은 산책을 끝내고 돌아오는 길, 옆 건물에서 냉동고를 떼어내는 작은 공사가 있었다. 기계가 웅웅 울리는 소리에 장군이는 담장을 따라 돌아오는 대신, 조금 더 돌아 집으로 돌아오는 길, 찻길 옆을 따라 걷기로 했던 것 같다. 나는 장군이가 정오의 산책을 끝내고, 돌아올 시간에도 보이지 않자 녀석을 찾으러 나갔다.

장군이는 찻길 옆에, 몸에 작은 바큇자국이 난 채로 울고 있었다. 나는 바로 녀석을 안아들어 동물병원으로 달려갔다. 엑스레이 결과 폐손상이 있었고, 곧 숨을 멈추려고 해서 약물로 떠나려는 장군이를 한 번 붙잡았다.

산소 호흡기를 달고 누워 있는 장군이가 살아 있는 건지 죽어 있는 건지 고통스러운 건지, 알지 못하는 나는 수의사 선생님께 "장군이가 지금 아플까요?"라고 물었다. 선생님은 체크를 위해 장군이의 발을 만졌고, 남의 손을 타지 않는 장군이는 신경질을 내며 선생님의 손을 내쳤다. 선생님은 "아이고 미안하다."라고 했다.

눈을 다 뜨지도 못했을 때부터 화를 내던 장군이가 짜증내는 모습이 짧은 안도감을 가져다줬다. '아직 나 여기 있어. 우리에게는 아직 약간의 시간이 있어.'라고 말하는 것 같았다.

장군이의 심장은 곧 멈출 것이기에 사람들은 우리를 위해 자리를 내주었다.

나는 허리를 굽혀 장군이 몸 위에 얼굴을 가져다댔다. 지금껏 수만 번을 그랬던 것처럼.

장군이는 짜증을 멈추고 편안해하다 눈을 감았다.

10월 12일

흰둥이와 나는 조용히 있다. 조용히 걸어 다니고 조용히 말하고 조용히 야옹거리고. 저절로 그렇게 돼 버렸다.

10월 17일

도토리에서 떨어진 꼭지 부분이나 메타세쿼이아 열매 같은 것이 위안이
된다. 나무가 그 부분을 정말 끝내주게 잘 만들어서 감탄하고 정신을 팔
수 있기 때문이다. 산책 후, 집에 그런 걸 한 가득 들고 와서 보고 있으면
흰둥이가 참다못하고 자신을 알아차려 달라며 고개를 내밀어 날 부른다.

10월 18일

10월 25일

흰둥이가 기운이 없다.

10월 31일

공기에서 겨울 냄새가 난다. 내일은 영하 1도까지 내려간다고 한다. 낙엽이며 식물 부스러기를 장군이가 묻힌 곳에 올려둔다. 외출했다 가져온 강아지풀도 올려둔다. 거기에 장군이가 없다는 것을 알면서도.

11월 1일

지난달에 가지고 온 메타세쿼이아 열매가 말라서 씨앗을 떨어
트렸고, 그걸 화실 안 화분에 뿌려 놓았더니, 새싹이 돋았다.
장군이가 죽어도 새로 태어나는 것이 있다니…. 나는 지금까지
사랑하는 것들은 죽지 않는다고 마음속 어딘가에서 그렇게 믿
고 있었던 것 같다. 메타세쿼이아 새싹이 야속하게 느껴진다.

11월 7일

흰둥이는 자기와 나, 장군이, 이렇게 셋이 함께 정원에 있는 시간을 무척 좋아했다. 집 안에 있을 때는 그곳이 장군이의 영역이라고 생각해서 행동도 조심하고 조용히 다녔지만 정원은 오롯이 자기 영역이고, 거기에 나와 장군이가 있고, 자기도 편하게 있을 수 있어서 좋아했다. 마치 자기 집에 친구들이 놀러온 것처럼.

그러다 내가 마당에서 할 일을 마치고 올라가고, 장군이도 나를 따라 가 버리면 흰둥이는 우리더러 다시 내려오라고 야옹야옹거리며 불렀다. 바쁘지 않으면 내가 잠깐 들렀지만, 그렇지 못할 때 장군이라도 내려가면 정말 좋아했다. 아무도 내려가지 않으면 흰둥인 덩그러니 그곳에 있다, 아예 다른 곳으로 가 버렸다.

그동안 이런 시간을 전혀 가지지 못하다가 오늘 떨어진 낙엽과 정원을 정리하느라 내려가 있자, 흰둥이가 행복해했다.

11월 9일

겨울이 되면 흰둥이의 귀가 시간이 일정해진다. 추우니 정해진 자기 일과
만 끝나면 곧장 집으로 돌아오는데, 그러다 보니 어쩌다 귀가가 늦어지는
날에는 조바심이 난다. 가만히 앉아 있을 수 없어서 찾으러 나가거나 집
앞에서 기다리고 있으면, 서로 보지 못하는 이 순간, 바람이 할퀸 것처럼
순식간에 무슨 일이 일어나, 서로 다시는 만날 수 없게 될지도 모른다는,
불안감에 사로잡힌다.
그렇게 어두운 마음이 저 멀리서 실룩실룩 달려오는 흰둥이의 실루엣으
로 단번에 가신다.

11월 10일

문틈으로 불어오는 찬 공기에 흰둥이가 외출할 적마다 나갈지 말지 고민하는 계절
이 돌아왔다.

11월 11일

인간님이
네가 간 이후로,
매일매일 울기만 해.

원래 좀
징징대는
스타일이야.

ADVENTURE
TIME
with FINN & JAKE

어제는
어드벤쳐타임을 보고
울었어.

내 인생은
이제
ADVENTURE TIME
without JAKE야···.

존재할 필요가 없는,
그런 것이지···.

11월 13일

내가 울적해하면 흰둥이가 불안해
서 흰둥이 앞에서는 아무렇지도 않은
척한다. 지금은 어느 정도 괜찮아져서
숨길 필요가 없지만 얼마 전까지만 해
도 그랬어야 했다. 아무렇지 않은 척
고양이를 대하고 있으면 고양이가 아
니라 아이를 키우고 있는 기분이 든다.

간식 달라고?

못 알아듣는군.

장군이가 하는 말은 다 알아들으면서,
왜 내 말은 못 알아듣는 거지?

← 심기불편의 꼬리

팡팡

어쩔 수 없지.

← 궁리의 꼬리

11월 14일

흰둥이가 내가 말을 못 알아듣는 줄 알고 보디랭귀지를 시도했다.

11월 16일

장군이가 간 이후 내가 더 나은 인간이 될지도 모른다는 슬픈 예감.

11월 18일

동물에 관한 책을 계속 출판하시는 편집장님이 내게 책을 보내 주셨다.
깔끔하게 포장된 완충재 속의 책 커버에 고양이털 하나가 붙어 있어서
오랜만에 크게 웃었다. 신경을 써도 고양이털은 어쩔 수가 없다. 어디
에든 어떻게든 들어가 버린다. 돌보시는 많은 고양이 중에 한 마리의 것
같다.

11월 21일

가끔씩 흰둥이는 아기처럼 오른쪽 앞발로 이불을 꼭 쥐고 잔다.

11월 25일

저···· 인간님!
머리 좀 쓰다듬어 주시겠습니까?

11월 26일

첫눈.

11월 29일

흰둥이가 원래 먹던 양의 배를 먹는다. 인간이 일어나 밥을 줄 때까지 조용히 기다리던 흰둥이가 요즘엔 배고픔을 못 참겠는지 새벽부터 인간을 깨워 밥을 달라고 한다.

사료를 캔에 비벼 주면
밥그릇까지 싹싹 핥아 먹고,

밖에서 가져온 음식을 먹고 건물 계단이나 복도 구석 여기저기에 잔해를 남기기도 한다. 한번은 내가 자고 있을 때 쓰레기통을 뒤지다 걸린 적이 있다. 비만을 걱정해서 밥양을 조절해서 줬는데, 그 반작용으로 쓰레기통을 뒤져서 먹는 게 고양이 몸에 좋은 것들이 아니니 걱정이다.

계속 적게 주다가는 주워 먹는 음식 염분으로 신장이 먼저 망가질까 봐, 지금은 흰둥이가 달라는 대로 주고 있다. 그리고 해도 짧아졌으니 조금이라도 일찍 들어오라고 외출 후 귀가하면 간식을 까 주기 시작했다.

그랬더니 한번 나갔다 들어오면 간식시간이라는 걸 금세 알고서는, 별식이 먹고
싶어지면 계단에서 서성이다 들어와 놓고 간식을 달라고 조른다.

11월 30일

흰둥이가 꽤 많이 우울했던 것 같다. 그동안 둘이 있을 때 느껴지는 이 이상한 위화감이 무엇인가 했는데, 지나 놓고 보니 우울이었다. 애교도 부리지 않고, 집 안에서 웅크리고 잠들어 있는 시간이 유난히 길었던 것이다.

요즘은 생기가 느껴지고, 배를 까뒤집는 애교도 부리고, 까치와 노랑이를 상대로 다시 신경전을 벌이기 시작했다. 까치를 경계하는 흰둥이의 소리가 엄청 시끄러운 걸 듣고 있으니, 저 자식 또 시작했네, 싶으면서도 안심이 된다.

12월 4일

노랑이와 흰둥이가 끈질기게 싸운다고 기록한 것이 올해 초인데 아직까지도 둘이 아웅다웅하고 있다. 이 싸움이 일 년이나 갈 줄이야. 그래, 하는 김에 늘 건강해라 노랑아.

12월 6일

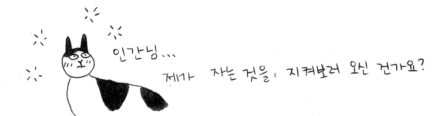

인간님...
제가 자는 것을, 지켜보러 오신 건가요?

흰둥이한테는 자꾸 의도치 않게 상냥해진다.

12월 7일

흰둥이가 자주 장군이가 묻힌 자리 위의 담장에 있다. 장군이가 거기 있는 줄 알아서, 담장에 앉아 있는 게 아니냐고 묻는 사람도 있지만, 과연 그럴까? 그럴 수도 있지만 그렇지 않을 수도 있지.

장군이의 몸에 생긴 바큇자국을 닦은 후, 하루를 함께 있다 다음 날 묻고 싶었지만, 집으로 돌아온 흰둥이가 움직이지 않는 장군이를 보면 충격을 받을 것이 걱정되었다.

내가 정확히 무슨 생각을 하는지, 뭘 하고 싶은 건지 갈피를 잡지 못하다, 장군이를 데리고 내려왔고, 삽을 들어 땅을 판 지 얼마 되지 않았을 때, 흰둥이가 담장 위로 모습을 드러냈다. 나는 장군이를 몸으로 가리고 흰둥이를 마주 봤다. 흰둥이는 지나는 길에 인사를 하러 온 것이라 한 번 야옹 울고는 제 갈 길을 갔다. 나는 안도했다. 삽자루를 들고 있는 내 뒤에 누운 장군이를 보고, 내가 장군이를 죽였다고 오해할까 봐 순간적으로 겁을 먹었다. 그렇게 오해하고 다시는 돌아오지 않을까 봐.

매일 담장 위에서 눈을 찌푸리고 있는 흰둥이를 보는 것은 심란하지만, 그러고 있을 때마다 꼭 봐 줘야 할 것 같다. 이상한 나의 의무인 것처럼.

12월 13일

이전에는 외출하고 들어온 흰둥이 몸에서 빵냄새가 나는 일이 종종 있었다. 정확한 이유를 모르다가, 작년 겨울 드디어 알게 되었다. 그때까지 흰둥이는 추우면 빵집에 몰래 들어가 몸을 녹였는데, 빵집 주인이 바뀌면서, 보안업체도 바뀌었고, 그러면서 흰둥이 행적이 드러났다. 새벽, 보안 알람이 울려 가게로 나오신 빵집 사장님이 CCTV로 가게 안을 돌아다니는 흰둥이를 발견하신 것이다. 흰둥이가 맞은편 건물의 우리 화실도 들락거린다는 사실을 알고 있던 사장님이 찾아오셔서, 나중에 나도 CCTV를 확인할 수 있었다. 영상 안의 뻔뻔한 흰둥이 얼굴에 할 말을 잃었다.

혹시나 길고양이에게 밥 주는 일로 이웃과의 사이가 나빠지는 게 아닌가 긴장하고 있었는데, 사장님은 "같이 살아야지요."라고 말씀해 주시며, 고양이가 들어올 틈을 찾아 막겠다고 하셨다. 나는 흰둥이가 얼씬 못하게, 밤마다 녀석을 건물 안에 잡아두겠다 했다.

지금도, 날이 추우면 흰둥이 뒷통수에서 달달한 빵 냄새가 나지 않는지, 냄새를 맡아 본다.

원래도 단골집이었는데, 흰둥이 일이 있고 난 후, 갈 때마다 덤을 많이 주신다. 민망하고 감사하고, 그렇다.

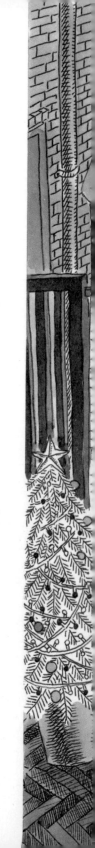

밥셔틀 출몰 시각은 7시 30분.

12월 28일

흰둥이는 겨울에도 거르지 않고 매일 영역을 둘러보러 나간다. 주저 없이 창문을 뛰어내리는 날이 대부분이지만 갑자기 한파가 불어닥치면 흰둥이도 나가고 싶어 하지 않는다. 그럼, 창문틀을 잡고 들이치는 바람에 머뭇거린다. 그래도 이내 장마, 진눈깨비, 칼바람 속으로 뛰어든다.

길 생활에 잘 적응하지 못하는 고양이도 있지만 흰둥이는 그 안에서 살아남고, 자신의 것이 있다는 것에 자부심을 느낀다. 그건 녀석이 실내에 있을 때와 자기 영역 안에 있을 때의 태도가 확연히 다른 걸로도 알 수 있다. 흰둥이는 마당에서 네 발에 힘을 꽉 주고 서서 확신에 찬 몸짓으로 돌아다닌다.

싸움에서 이기고 난 후의 그 의기양양한 표정, 막 봄이 찾아왔을 때 행복에 겨워서 풀밭에서 뒹구는 모습을 보면 흰둥이 털가죽 안에는 기쁨과 환희 같은 것이 꽉 들어 차 있다.

그러다 어느 날 다시 싸움에서 지고, 외롭고, 비바람이 불고, 그럼 인간은 한 발자국 떨어져 서서 '나와 같이 살면 굳이 무엇도 할 필요가 없는데…'라고 생각한다.

흰둥이는 몇 년 전부터 싸울 필요도, 동네를 돌아다니면서 먹을 걸 찾을 필요도 없었다. 좋을 때야 사냥이나 싸움이나 모두 할 만한 일이지만, 의지가 꺾이고 슬픔에 젖었을 때 똑같은 걸 되풀이해야 한다는 것이 얼마나 힘겨운 일인가.

그래도 매일같이 나가고, 또 싸우고, 들어와서 운다.

나 흰둥, 지킬 것이 있는 고양이오.

쓰레기 봉투 앞에 멈춰선 발자국은
있는데, 뜯어 놓지는 않았네.

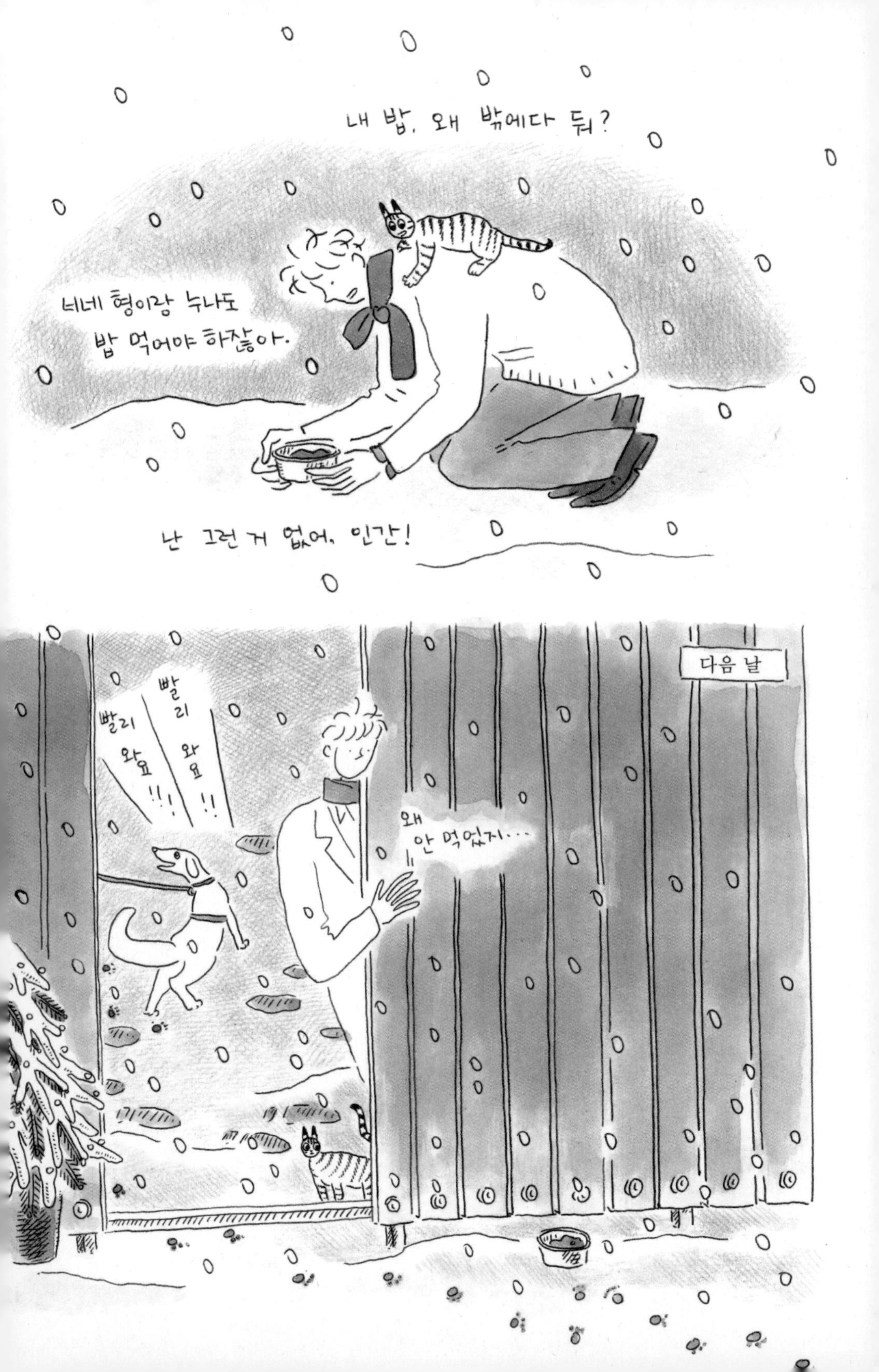

내 밥, 왜 밖에다 둬?
네네 형이랑 누나도
밥 먹어야 하잖아.
난 그런 거 없어, 인간!
다음 날
빨리 와요!!
빨리 와요!!
왜 안 먹었지…

다음 책에서 장군이와 흰둥이의 이야기가 계속됩니다.

책공장더불어의 책

고양이 임보일기

〈고양이 그림일기〉의 작가가 한 달 넘게 새끼고양이 다섯 마리를 돌보고 입양을 보냈던 내용을 그림으로 기록했다. 인간은 체력이 바닥이 나지만 그 사이 새끼고양이들은 각기 개성을 드러내며 쑥쑥 크고, 원래 있던 고양이들은 심술 내거나 품어준다.

우주식당에서 만나
(한국어린이교육문화연구원 으뜸책)

2010년 볼로냐 어린이도서전에서 올해의 일러스트레이터로 선정되었던 신현아 작가가 반려동물과 함께 사는 이야기를 네 편의 작품으로 묶었다.

고양이는 언제나 고양이였다

고양이를 사랑하는 나라 터키의, 고양이를 사랑하는 글 작가와 그림 작가가 고양이에게 보내는 러브레터. 고양이를 통해 세상을 보는 사람들을 위한 아름다운 고양이 그림책이다.

나비가 없는 세상
(어린이도서연구회에서 뽑은 어린이·청소년 책)

고양이 만화가 김은희 작가가 그려내는 한국 최고의 고양이 만화. 신디, 페르캉, 추새. 개성 강한 세 마리 고양이와 만화가의 달콤쌉싸래한 동거 이야기.

고양이 천국
(어린이도서연구회에서 뽑은 어린이·청소년 책)

고양이와 이별한 이들을 위한 그림책. 실컷 놀고 먹고, 자고 싶은 곳에서 잘 수 있는 곳. 그러다가 함께 살던 가족이 그리울 때면 잠시 다녀가는 고양이 천국의 모습을 그려냈다.

강아지 천국

반려견과 이별한 이들을 위한 그림책. 들판을 뛰놀다 맛있는 것을 먹고 잠을 수 있는 곳에서 행복하게 지내면서 천국의 문 앞에서 사람 가족이 오기를 기다리는 무지개다리 너머 반려견의 이야기.

후쿠시마의 고양이
(한국어린이교육문화연구원 으뜸책)

2011년 동일본 대지진 이후 5년. 사람이 사라진 후쿠시마에서 살처분 명령이 내려진 동물들을 죽이지 않고 돌보고 있는 사람과 함께 사는 두 고양이의 모습을 담은 평화롭지만 슬픈 사진집.

개, 고양이 사료의 진실

미국에서 스테디셀러를 기록하고 있는 책으로 반려동물 사료에 대한 알려지지 않은 진실을 폭로한다. 2007년도 멜라민 사료 파동 취재까지 포함된 최신판이다.

개·고양이 자연주의 육아백과

세계적인 홀리스틱 수의사 피케른의 개와 고양이를 위한 자연주의 육아백과. 40만 부 이상 팔린 베스트셀러로 반려인, 수의사의 필독서. 최상의 식단, 올바른 생활습관, 암, 신장염, 피부병 등 각종 병에 대한 대처법도 자세히 수록되어 있다.

우리 아이가 아파요! 개·고양이 필수 건강 백과

새로운 예방접종 스케줄부터 우리나라 사정에 맞는 나이대별 흔한 질병의 증상·예방·치료·관리법, 나이 든 개, 고양이 돌보기까지 반려동물을 건강하게 키울 수 있는 필수 건강백서.

펫로스 반려동물의 죽음
(아마존닷컴 올해의 책)

동물 호스피스 활동가 리타 레이놀즈가 들려주는 반려동물의 죽음과 무지개다리 너머의 이야기. 펫로스(pet loss)란 반려동물을 잃은 반려인의 깊은 슬픔을 말한다.

깃털, 떠난 고양이에게 쓰는 편지

프랑스 작가 클로드 앙스가리가 먼저 떠난 고양이에게 보내는 편지. 한 마리 고양이의 삶과 죽음, 상실과 부재의 고통, 동물의 영혼에 대해서 써 내려간다.

노견 만세

퓰리처상을 수상한 글 작가와 사진 작가의 사진 에세이. 저마다 생애 최고의 마지막 나날을 보내는 노견들에게 보내는 찬사.

대단한 돼지 에스더
(환경부 선정 우수환경도서, 학교도서관저널 추천도서)

미니돼지인줄 알고 입양한 돼지 에스더는 사실 몸무게가 300킬로그램이나 되는 사육용 돼지였다. 에스더를 만나 채식을 하게 되고, 동물 보호소를 운영하는 등 삶이 바뀐 두 남자의 좌충우돌 유쾌하고 행복한 이야기.

임신하면 왜 개, 고양이를 버릴까?

임신, 출산으로 반려동물을 버리는 나라는 한국이 유일하다. 세대 간 문화충돌, 무책임한 언론 등 임신, 육아로 반려동물을 버리는 사회현상에 대한 분석과 안전하게 임신, 육아 기간을 보내는 생활법을 소개한다.

동물과 이야기하는 여자

SBS 〈TV 동물농장〉에 출연해 화제가 되었던 애니멀 커뮤니케이터 리디아 히비가 20년간 동물들과 나눈 감동의 이야기. 병으로 고통받는 개, 안락사를 원하는 고양이 등과 대화를 통해 문제를 해결한다.

동물을 만나고 좋은 사람이 되었다

(한국출판문화산업진흥원 출판 콘텐츠 창작자금지원 선정)
개, 고양이와 살게 되면서 반려인은 동물의 눈으로, 약자의 눈으로 세상을 보는 법을 배운다. 동물을 통해서 알게 된 세상 덕분에 조금 불편해졌지만 더 좋은 사람이 되어 가는 개·고양이에 포섭된 인간의 성장기.

인간과 개, 고양이의 관계심리학

함께 살면 개, 고양이와 반려인은 닮을까? 동물학대는 인간학대로 이어질까? 248가지 심리실험을 통해 알아보는 인간과 동물이 서로에게 미치는 영향에 관한 심리 해설서.

개가 행복해지는 긍정교육

개의 심리와 행동학을 바탕으로 한 긍정교육법으로 50만 부 이상 판매된 반려인의 필독서. 짖기, 물기, 대소변 가리기, 분리불안 등의 문제를 평화롭게 해결한다.

개.똥.승.

(세종도서 문학 부문)
어린이집의 교사이면서 백구 세 마리와 사는 스님이 지구에서 다른 생명체와 더불어 좋은 삶을 사는 방법, 모든 생명이 똑같이 소중하다는 진리를 유쾌하게 들려준다.

버려진 개들의 언덕

(학교도서관저널 추천도서)
인간에 의해 버려져서 동네 언덕에서 살게 된 개들의 이야기. 새끼를 낳아 키우고, 사람들에게 학대를 당하고, 유기견 추격대에 쫓기면서도 치열하게 살아가는 생명들의 2년간의 관찰기.

유기동물에 관한 슬픈 보고서

(환경부 선정 우수환경 도서, 어린이도서연구회에서 뽑은 어린이·청소년 책, 한국간행물윤리위원회 좋은 책, 어린이문화진흥회 좋은 어린이책)
동물보호소에서 안락사를 기다리는 유기견, 유기묘의 모습을 사진으로 담았다. 인간에게 버려져 죽임을 당하는 그들의 모습을 통해 인간이 애써 외면하는 불편한 진실을 고발한다.

유기견 입양 교과서

보호소에 입소한 유기견은 안락사와 입양이라는 생사의 갈림길 앞에 선다. 이들에게 입양이라는 선물을 주기 위해 활동가, 봉사자, 임보자가 어떻게 교육하고 어떤 노력을 해야 하는지 차근차근 알려 준다.

개에게 인간은 친구일까?

인간에 의해 버려지고 착취당하고 고통받는 우리가 몰랐던 개 이야기. 다양한 방법으로 개를 구조하고 보살피는 사람들의 이야기가 그려진다.

개 피부병의 모든 것

홀리스틱 수의사인 저자는 상업사료의 열악한 영양과 과도한 약물사용을 피부병 증가의 원인으로 꼽는다. 제대로 된 피부병 예방법과 치료법을 제시한다.

사람을 돕는 개

(한국어린이교육문화연구원 으뜸책, 학교도서관저널 추천도서)
안내견, 청각장애인 도우미견 등 장애인을 돕는 도우미견과 인명구조견, 흰개미탐지견, 검역견 등 사람과 함께 맡은 역할을 해내는 특수견을 만나본다.

용산 개 방실이

(어린이도서연구회에서 뽑은 어린이·청소년 책, 평화박물관 평화책)
용산에도 반려견을 키우며 일상을 살아가던 이웃이 살고 있었다. 용산 참사로 아빠가 갑자기 떠난 뒤 24일간 음식을 거부하고 스스로 아빠를 따라간 반려견 방실이 이야기.

암 전문 수의사는 어떻게 암을 이겼나

수많은 개 고양이를 암에서 구하고 스스로 암에서 생존한 수의사의 이야기. 인내심이 있는 개와 까칠한 고양이가 암을 이기는 방법, 암 환자가 되어 얻게 된 교훈을 들려준다.

채식하는 사자 리틀타이크
(아침독서 추천도서 교육방송 EBS 〈지식채널e〉 방영)

육식동물인 사자 리틀타이크는 평생 피 냄새와 고기를 거부하고 채식 사자로 살며 개, 고양이, 양 등과 평화롭게 살았다. 종의 본능을 거부한 채식 사자의 9년간의 아름다운 삶의 기록.

치료견 치로리
(어린이문화진흥회 좋은 어린이책)

비 오는 날 쓰레기장에 버려진 잡종개 치로리. 죽음 직전 구조된 치로리는 치료견이 되어 전신마비 환자를 일으키고, 은둔형 외톨이 소년을 치료하는 등 기적을 일으킨다.

사향고양이의 눈물을 마시다
(한국출판문화산업진흥원 우수출판콘텐츠 제작지원 선정, 환경부 선정 우수환경도서, 학교도서관저널 추천도서, 국립중앙도서관 사서가 추천하는 휴가철에 읽기 좋은 책, 환경정의 올해의 환경책)

내가 마신 커피 때문에 인도네시아 사향고양이가 고통받는다고? 나의 선택이 세계 동물에게 미치는 영향, 동물을 죽이는 것이 아니라 살리는 선택에 대해 알아본다.

동물학대의 사회학
(학교도서관저널 추천도서)

동물학대와 인간폭력 사이의 관계를 설명한다. 페미니즘 이론 등 여러 이론적 관점을 소개하면서 앞으로 동물학대 연구가 나아갈 방향을 제시한다.

동물주의 선언
(환경부 선정 우수환경도서)

현재 가장 영향력 있는 정치철학자가 쓴 인간과 동물이 공존하는 사회로 가기 위한 철학적·실천적 지침서.

묻다
(환경부 선정 우수환경도서, 환경정의 올해의 환경책)

구제역, 조류독감으로 거의 매년 동물의 살처분이 이뤄진다. 저자는 4,800곳의 매몰지 중 100여 곳을 수년에 걸쳐 찾아다니며 기록한 유일한 사람이다. 그가 우리에게 묻는다. 우리는 동물을 죽일 권한이 있는가.

동물들의 인간 심판
(대한출판문화협회 올해의 청소년 교양도서, 세종도서 교양 부문 선정, 환경정의 청소년 환경책, 아침독서 청소년 추천도서, 학교도서관저널 추천도서)

동물을 학대하고, 학살하는 범죄를 저지른 인간이 동물 법정에 선다. 고양이, 돼지, 소 등은 인간의 범죄를 증언하고 개는 인간을 변호한다. 이 기묘한 재판의 결과는?

물범 사냥
(노르웨이국제문학협회 번역 지원 선정)

북극해로 떠나는 물범 사냥 어선에 감독관으로 승선한 마리는 낯선 남자들과 6주를 보내야 한다. 남성과 여성, 인간과 동물, 세상이 평등하다고 믿는 사람들에게 펼쳐 보이는 세상.

동물은 전쟁에 어떻게 사용되나?

전쟁은 인간만의 고통일까? 자살폭탄 테러범이 된 개 등 고대부터 현대 최첨단 무기까지, 우리가 몰랐던 동물 착취의 역사.

고통받은 동물들의 평생 안식처 동물보호구역
(환경부 선정 우수환경도서, 환경정의 어린이 환경책 한국어린이교육문화연구원 으뜸책)

고통받다가 구조되었지만 오갈 데 없었던 야생동물의 평생 보금자리. 저자와 함께 전 세계 동물보호구역을 다니면서 행복하게 살고 있는 동물을 만난다.

후쿠시마에 남겨진 동물들
(미래창조과학부 선정 우수과학도서, 환경부 선정 우수환경도서, 환경정의 청소년 환경책 권장도서)

2011년 3월 11일, 대지진에 이은 원전 폭발로 사람들이 떠난 일본 후쿠시마. 다큐멘터리 사진작가가 담은 '죽음의 땅'에 남겨진 동물들의 슬픈 기록.

인간과 동물, 유대와 배신의 탄생
(환경부 선정 우수환경도서)

미국 최대의 동물보호단체 휴메인소사이어티 대표가 쓴 21세기 동물해방의 새로운 지침서. 농장동물, 산업화된 반려동물 산업, 실험동물, 야생동물 복원에 대한 허위 등 현대의 모든 동물학대에 대해 다루고 있다.

고등학생의 국내 동물원 평가 보고서
(환경부 선정 우수환경도서)
인간이 만든 '도시의 야생동물 서식지' 동물원에서는 무슨 일이 일어나고 있나? 국내 9개 주요 동물원이 종보전, 동물복지 등 현대 동물원의 역할을 제대로 하고 있는지 평가했다.

동물원 동물은 행복할까?
(환경부 선정 우수환경도서, 학교도서관저널 추천도서)
동물원 북극곰은 야생에서 필요한 공간보다 100만 배, 코끼리는 1,000배 작은 공간에 갇혀서 살고 있다. 야생동물보호운동 활동가인 저자가 기록한 동물원에 갇힌 야생동물의 참혹한 삶.

동물 쇼의 웃음 쇼 동물의 눈물
(한국출판문화산업진흥원 청소년 권장도서, 한국출판문화산업진흥원 청소년 북토큰 도서)
동물 서커스와 전시, TV와 영화 속 동물 연기자, 투우, 투견, 경마 등 동물을 이용해서 돈을 버는 오락산업 속 고통받는 동물들의 숨겨진 진실을 밝힌다.

야생동물병원 24시
(어린이도서연구회에서 뽑은 어린이ㆍ청소년 책, 한국출판문화산업진흥원 청소년 북토큰 도서)
로드킬 당한 삵, 밀렵꾼의 총에 맞은 독수리, 건강을 되찾아 자연으로 돌아가는 너구리 등 대한민국 야생동물이 사람과 부대끼며 살아가는 슬프고도 아름다운 이야기.

똥으로 종이를 만드는 코끼리 아저씨
(환경부 선정 우수환경도서, 한국출판문화산업진흥원 청소년 권장도서, 서울시교육청 어린이도서관 여름방학 권장도서, 한국출판문화산업진흥원 청소년 북토큰 도서)
코끼리 똥으로 만든 재생종이 책. 코끼리 똥으로 종이와 책을 만들면서 사람과 코끼리가 평화롭게 살게 된 이야기를 코끼리 똥 종이에 그려냈다.

햄스터
햄스터를 사랑한 수의사가 쓴 햄스터 행복ㆍ건강 교과서. 습성, 건강관리, 건강식단 등 햄스터 돌보기 완벽 가이드.

토끼
토끼를 건강하고 행복하게 오래 키울 수 있도록 돕는 육아 지침서. 습성ㆍ식단ㆍ행동ㆍ감정ㆍ놀이ㆍ질병 등 모든 것을 담았다.

고양이 그림일기

초판 1쇄 2017년 5월 3일
초판 4쇄 2020년 11월 11일

글·그림 이새벽

펴낸이 김보경
펴낸곳 책공장더불어

편 집 김보경
교 정 김수미

디자인 나디하 스튜디오(khj9490@naver.com)
인 쇄 정원문화인쇄

책공장더불어

주 소 서울시 종로구 혜화동 5-23
대표전화 (02)766-8406
팩 스 (02)766-8407
이메일 animalbook@naver.com
홈페이지 http://blog.naver.com/animalbook
출판등록 2004년 8월 26일 제300-2004-143호

ISBN 978-89-97137-24-4 (03810)